Scrittoi
80

GW00392839

Collana Scrittori

ultime uscite

EMANUELE TREVI

SOGNI E FAVOLE

Un apprendistato

PONTE ALLE GRAZIE

© 2018 Adriano Salani Editore s.u.r.l.
ISBN: 978-88-6220-851-2

Redazione e impaginazione: Scribedit – Servizi per l'editoria

In copertina: © Giosetta Fioroni, 1993
Progetto grafico: ushadesign

Ponte alle Grazie è un marchio
di Adriano Salani Editore s.u.r.l.
Gruppo editoriale Mauri Spagnol

Per essere informato sulle novità
del Gruppo editoriale Mauri Spagnol visita
www.illibraio.it

Sogni e favole

Non è già abbastanza portare questa immagine di cui ci ha rivestito la natura? Bisognerà anche permettere che di questa immagine rimanga un'altra immagine, più duratura della prima, quasi si trattasse di una cosa degna di essere vista?

PORFIRIO, *Vita di Plotino*

...quello che chiamiamo unità di un volto: l'uniforme distribuzione della vivacità dei tratti, la sensazione del loro cooperare, il loro condizionamento reciproco, rivela o è prodotto dal fatto che la loro unione esprime un'anima.

GEORG SIMMEL, *Il problema del ritratto*

L'anima sta al corpo come la fiamma alla candela che si consuma.

SADE

Scrivendo l'autore in Vienna l'anno 1733 la sua Olimpiade, si sentì commosso fino alle lagrime nell'esprimere la divisione di due teneri amici; e meravigliandosi che un falso, e da lui inventato disastro potesse cagionargli una vera passione, si fece a riflettere quanto poco ragionevole e solido fondamento possano aver le altre, che soglion frequentemente agitarci nel corso di nostra vita.

Sogni, e favole io fingo; e pure in carte
mentre favole, e sogni orno, e disegno,
in lor, folle ch'io son, prendo tal parte,
che del mal che inventai piango, e mi sdegno.

Ma forse, allor che non m'inganna l'arte,
più saggio io sono? È l'agitato ingegno
forse allor più tranquillo? O forse parte
da più salda cagion l'amor, lo sdegno?

Ah che non sol quelle, ch'io canto, o scrivo,
favole son; ma quanto temo, o spero,
tutto è menzogna, e delirando io vivo!

Sogno della mia vita è il corso intero.
Deh tu, Signor, quando a destarmi arrivo,
fa' che trovi riposo in sen del vero.

[Pietro Metastasio, *Poesie*, a cura di Rosa Necchi, Nino Aragno, Torino 2009, p. 3].

SOLO AL MONDO

Tra la fine del liceo e i primi tempi dell'università ho lavorato in un cineclub, uno dei tanti che c'erano a Roma all'inizio degli anni Ottanta, prima che la gente cominciasse a registrare i vecchi film dalla tv e a comprare o affittare i vhs, decretando la graduale ma inesorabile scomparsa di quelle salette dai nomi bizzarri e allusivi, sempre più disertate e derelitte di anno in anno, come luoghi di culto di una religione arrivata al capolinea. Quando consideriamo il passato, l'estinzione di tante cose che ci apparivano ovvie e addirittura necessarie al nostro stesso esistere non ci stupisce affatto. Perché le vediamo fragili, già irrimediabilmente usurate e tarlate, incapaci di opporre resistenza, di adeguarsi, di scampare al loro fato. Che è quello di andare in malora, in fin dei conti: come tutto ciò che appartiene allo spazio e al tempo, noi compresi. È un sentimento ragionevole, ma non rende del tutto conto della nostra esperienza reale. Alla maniera di un romanziere classico, la memoria stende sui suoi oggetti la patina uniforme della necessità e della caducità. E troppo facilmente trascuriamo che tutto ciò che abbiamo vissuto, per il fatto stesso che lo vivevamo, che era possibile viverlo, produceva anche una sua necessaria, ma irrecuperabile illusione di durata, se non di eternità. In modo del tutto irrazionale ma non meno efficace, il presente sembra sempre ben fondato, le sue abitudini assicurate da vincoli tenaci al grande tronco dell'esistenza. Così, a Roma come in tutta quella vecchia Europa placida e decrepita, ormai prossima a svanire come un sogno in un battito di ciglia, le salette dei cineclub, con il loro odore di polvere e stoffe tarlate e legno marcio, continuavano a riempirsi dal primo pomeriggio a notte inoltrata.

Era ancora il tempo degli artisti, nel senso che questa parola poteva avere nel lento crepuscolo del Novecento, quando un poeta, un pittore, un regista erano esseri umani investiti da una vocazione, e la loro vita non era un pettegolezzo, una delle tante variabili mercantili della celebrità, un'attraente carriera mondana, ma una storia vissuta fino ai limiti dell'umano, spremuta fino all'ultima goccia, e dunque una caccia magica, e nello stesso tempo una specie di elaborato rito sacrificale, l'immolarsi e molte volte l'incenerirsi dell'individuo sul rogo della sua visione. Ricordo che certi libri – le poesie di Gottfried Benn, le ultime prose di Beckett, i racconti di Clarice Lispector – passavano di mano in mano lasciando ustioni, come carboni ardenti. Il sottotitolo della vita di Eliogabalo scritta da Artaud era *l'anarchico incoronato*. Quello del saggio su Van Gogh: *il suicidato della società*. Sovrapponendo queste due immagini, era facile rendersi conto che i loro bordi coincidevano alla perfezione, che non c'era nessuna reale differenza.

C'è anche, credo, da riflettere sul fatto che l'esistenza umana godeva di larghi margini di lentezza, di artigianale approssimazione, ed era fondamentalmente *sconnessa*, in una maniera che per chi ha oggi venti o anche trent'anni è difficilissima da immaginare. Solo un'immane catastrofe, di portata inconcepibile, potrebbe riportarci a quelle beate condizioni di autonomia. La tecnologia era già potente, non c'è dubbio, ma non era una parte così preponderante della psicologia, non aveva ancora la capacità di soddisfare immediatamente ogni pulsione, dopo averla stimolata. Lasciava a ogni singolo individuo un suo stile e una riserva di libertà che è stata totalmente dissipata, come se non avesse nessun valore. Era normalissimo assentarsi, non dare notizie di sé per giorni o per settimane. E dunque, come è logico supporre, le persone si pensavano con maggiore intensità, con maggiore pazienza, e questo pensarsi poteva essere realmente percepito, e ricambiato. C'era tutto il tempo necessario a dipingere un fantasma sulle pareti del cuore, a ritoccarne i contorni e le sfumature fino al momento in cui prendeva una vita propria, non era più un'immaginazione arbitraria ma una presenza e un ospite da onorare. Ogni atto di comunicazione, anche il più frivolo, possedeva una quantità variabile di difficoltà e memorabilità. Che qualcuno ti rispondesse al telefono, che fosse lì ad aspettare la tua chiamata, oppure che non se la aspettasse affatto, tutto questo era già di per sé un contenuto umano, un veicolo di erotismo o di amicizia o di violenza, e la stessa fila che avevi fatto davanti alla cabina, con la pila di gettoni intiepidita nel cavo della mano, poteva decidere il senso di molte parole, farle fermentare nella testa prima che venissero pronunciate. Più o meno come nel medioevo, una lettera era un oggetto concreto, di carta e di inchiostro, che giungeva a destinazione ricoperta dalla polvere delle lontananze, percorrendo strade che, al momento di imbucarla, immaginavamo incerte e tortuose. C'erano molte limitazioni, dal numero di scatti fotografici consentiti dalla lunghezza di un rullino (fino a un massimo di trentasei!) a quello dei solchi di un disco. I viaggi in treno erano così lunghi che nella forzata intimità degli scompartimenti a sei posti, coi loro braccioli muniti di portacenere stracolmi di mozziconi, una civiltà narrativa secolare celebrava i suoi ultimi fasti, come solo poteva accadere tra sconosciuti che non si sarebbero più rivisti, e che quasi mai si scambiavano il nome. Alcune di quelle storie erano destinate a insediarsi per sempre in chi le ascoltava, come indistruttibili pietre di paragone, o fili d'Arianna, o farmaci per ogni tipo di incertezza. La storia del signore di Vicenza che aveva perso il cappotto e trovato una moglie, e quella dell'operaio di Genova che una sera, stanco di tutto, invece di buttarsi nella tromba delle scale era partito per la Tunisia e non era più tornato.

***

A diciotto anni non avevo un grande interesse per i classici del cinema, nessuno mi aveva iniziato a quel culto esigente e minuzioso, ed erano semmai il luogo in sé e la gente che lo frequentava a farmi amare intensamente il cineclub. Ne percepivo, con un'emozione indefinibile, la natura separata, del tutto estranea al movimento della città, dotata di un tempo speciale che scorreva in maniera tutta sua, come poteva accadere in una fumeria d'oppio, in un padiglione per malati terminali, in un sommergibile. Sembra una cosa assurda da esprimere, ma era proprio la qualità speciale di quel tempo – il suo modo di procedere seguendo il tracciato di una spirale anziché la solita linea retta – a farmi sentire protetto come chi ha trovato un riparo nell'indecifrabile ostilità del mondo. C'è da dire che sono sempre stato una persona poco vitale, diciamo pure depressa, priva di fiducia e di iniziativa oltre che di immaginazione, e mi sembrava che le ore passate nel cineclub fossero una specie di alibi perfetto, perché mi consentiva di svolgere una parvenza di attività, che addirittura veniva compensata da un minuscolo ma concreto stipendio, restandomene la maggior parte del tempo a fantasticare indisturbato, tirando di tanto in tanto fuori un quaderno dove annotavo dei versi pieni di aggettivi che mi piacevano molto e consideravo straordinariamente poetici, come «labile», «tenue», «lieve». La cosa più notevole di quei ghirigori di parole, privi di qualunque significato, era la fatica bestiale che mi costava comporli. Passavo la maggior parte di queste stremanti sedute con la penna sospesa sul foglio bianco, come se aspettassi il passaggio di una parola da fiocinare. Credo che i gestori del cineclub si fossero convinti di avere assunto una specie di deficente, ma educato e inoffensivo. Cinefili all'ultimo stadio, non si capacitavano del fatto che quasi mai entrassi in sala per vedere un film. Né io ero in grado di spiegargli quanto mi sentissi felice a passare lì pomeriggi e sere, nutrendomi di quell'apparenza di realtà che per le persone che si sentono prive di qualunque ragion d'essere è preziosa più dell'aria che respirano. Purché mi fosse concesso di rimanere, avrei accettato di lavorare gratis. E del resto, tutte le mansioni erano leggerissime: aiutavo con le tessere e i biglietti nei momenti di massima affluenza, tenevo aperto un minuscolo bar che vendeva panini e birre tiepide, mi occupavo di qualche approssimativa pulizia. Ogni tanto mi spedivano in sala per scongiurare gli spettatori di non fumare *troppo* e tutti insieme, ostacolando con la densa nebbia delle sigarette il raggio del proiettore.

Me ne stavo lì, nel bugigattolo del bar che si affacciava sull'atrio, in quello stato semi-vegetale di trasognata ebetudine che è la condizione d'esistenza più naturale e gratificante per me. Sentivo che la vita incombeva, che il numero dei treni da perdere non era infinito, che presto o tardi sarebbe stato saggio prendere qualche decisione netta riguardo alla mia identità, ma almeno altrettanto potente di questa consapevolezza era il desiderio di non essere nulla, di evaporare, di venire assorbito nell'indistinto. Compilavo di continuo liste di propositi che mi sembravano buoni, abitudini da assumere a partire dall'indomani o meglio ancora dal prossimo lunedì, libri da leggere, scienze ed arti da approfondire. Correre un'ora la mattina presto e leggere cinquanta pagine al giorno di un grande filosofo e frequentare un maestro di meditazione e seguire le notizie politiche su un giornale e lavarmi i denti dopo tutti i pasti. Stabilivo orari inflessibili per sfruttare nel migliore dei modi quel tempo che in realtà ero capace di perdere in modo così assoluto da non rendermi nemmeno conto del suo effettivo trascorrere, come se non fossi stato lì io stesso a farlo passare in una bruma di pensieri futili e approssimativi. Le persone come me riescono a percepire con un'intensità quasi dolorosa la bellezza di ogni minimo dettaglio della vita, il loro senso estetico è ridestato da qualunque minuzia, non hanno bisogno di accordi solenni e cappelle sistine, proprio perché una parte di loro rimane sempre addormentata, non partecipa, non desidera. Dalla pesante tenda di velluto rosso che si attraversava per entrare nella sala, filtravano i frammenti sonori più intensi dei film: la sinfonia di una colonna sonora hollywoodiana, una sparatoria, un alterco tra amanti delusi. Non sapere a che storia appartenessero rendeva quei suoni straordinariamente vividi, significativi. In seguito mi sarei convinto che tutto ciò che conoscevo mi arrivava in quel modo, attraversando una cortina di spavento e diffidenza, briciola di un pane remoto e incomprensibile. Contemplavo a lungo una vecchia macchina da presa montata sul suo sostegno, messa lì in un angolo – un tempo aveva funzionato e poi chissà, si era rotta o era diventata inservibile, superata da nuovi modelli, e adesso aveva raggiunto la venerabile e ambigua condizione del feticcio, dell'emblema, dell'arredo sacro. Grigia e nera, mi faceva venire in mente un animale preistorico, la reliquia di un mondo popolato da rettili affamati, squassato da terremoti ed eruzioni.

Un'altra cosa che mi affascinava del cineclub era l'assoluta facilità con cui si poteva transitare dalla realtà ordinaria a quell'altrove. Bastava imboccare una scala, lasciandosi alle spalle una stradina borghese con i suoi alberelli, le sue portinerie, le macchine parcheggiate lungo il bordo del marciapiede. Un frammento di realtà così ordinario che nemmeno a passarci tutta la vita lo si sarebbe potuto descrivere senza l'impiego di parole generiche (portoni, panchine, passi carrabili, cacche di cane...), valide per quello come per infiniti altri posti del tutto equivalenti. L'essere mimetizzato alla perfezione tra apparenze così prosaiche da risultare praticamente impercettibili rendeva quel luogo ancora più eccentrico e incantato. Un fenomeno del genere accade in quei sogni dove siamo a casa nostra, non c'è nessun dubbio, è tutto identico a come sappiamo, a come deve essere, solo che a fianco del bagno o nel muro della stanza da pranzo c'è una porta che non avevamo mai notato, e quando la oltrepassiamo ci troviamo in un ambiente del tutto assurdo e incongruente – un bosco, una grotta, un supermercato. Ecco, quel cineclub rappresentava qualcosa di altrettanto assurdo e incongruente rispetto alla strada, alla sua imperturbabile normalità. Al termine della corta scala, simile all'entrata di una stazione della metropolitana, iniziava *l'altro mondo* – un mondo illogico e imprevedibile perché l'illusione, che di per sé è più leggera e immateriale dell'ala di una libellula o di un riflesso su un vetro, riusciva a scalzare dal suo trono, con la forza astuta di una leva, nientemeno che il principio di realtà. Percepivo con la certezza di una sensazione fisica questo passaggio imboccando il corridoio sotterraneo, foderato di linoleum, che conduceva alla biglietteria. Sulle pareti del corridoio erano appese certe riproduzioni di film famosi, simili per la loro funzione propedeutica e propiziatoria agli episodi del Vangelo e alle immagini dei santi nelle chiese cattoliche: James Mason al comando del Nautilus, Jack Lemmon e Tony Curtis vestiti da donna, Rita Hayworth con la sigaretta fra le labbra e gli occhi lucidi. Scala e corridoio: lo schema classico dell'ipogeo etrusco e di molte altre sepolture arcaiche. Non è, credo, un'analogia del tutto campata in aria. Noi entriamo in un cinema, soprattutto durante il giorno, quando iniziano il primo o il secondo spettacolo, e dopo aver pagato un obolo, come si dice che le anime defunte lo pagano a Caronte quando arriva il loro turno, muoriamo al mondo: in modo transitorio e reversibile – non c'è dubbio – ma non meno reale e vincolante, perché c'è una parte di noi che non percepisce differenze sostanziali tra un fatto che accade davvero, come appunto la morte, e una rappresentazione o un simbolo, come lasciarsi alle spalle la luce del giorno per entrare nelle ombre di un cinema. E cos'altro vediamo al cinema, cos'altro ci mostra un film, fosse anche il più stupido e insignificante dei film, se non l'aldilà? Tutto ciò che è stato e non sarà mai più è una specie di film, tutto ciò che vediamo in un film assomiglia in maniera sconcertante al disperato desiderio di persistenza che fa dell'anima, come è lecito supporre, la parte più sottile e tenace del nostro corpo.

I periodi di massima animazione del cineclub erano quelli delle rassegne, quando si proiettavano anche cinque o sei film diversi in un solo giorno. C'era gente che si infilava dentro la sala alle quattro del pomeriggio e poteva rimanerci fino a mezzanotte, con brevi pause per mangiare, andare al gabinetto, sgranchirsi le gambe. Ai miei occhi, i cinefili erano uno spettacolo più interessante di qualunque film. L'esposizione prolungata a quelle vecchie pellicole era capace, c'è da credere, di modificare la consistenza del loro corpo infagottato in abiti dimessi, privi di qualunque indizio di vanità. Sembrava che avessero depositato all'entrata del cinema ogni ambizione mondana, ogni legittimo desiderio naturale, la memoria stessa della vita vorace e rumorosa che là fuori proseguiva il suo corso inarrestabile. Quando arrivava l'ora della chiusura, e anche l'ultimo titolo di coda svaniva nella luce crudele che si accendeva in sala, li immaginavo incapaci di ritornare veramente alle loro abitudini, alle loro famiglie, alle loro eventuali occupazioni, storditi e astratti come dervisci dopo ore passate a ruotare su un perno invisibile, un vuoto abissale. La loro memoria era prodigiosa, conoscevano tutte le gioie più sottili della classificazione e della discriminazione. La pluralità inesauribile dei film era la fonte di una felicità sempre in grado di rinnovarsi, perché se ognuno di questi aveva un inizio e una fine, un titolo che li delimitava e li distingueva dagli altri, un regista, dei protagonisti, una trama, il Cinema invece era un nastro di Moebius, un'immagine concreta dell'infinito che loro potevano percorrere senza mai tornare sui propri passi, senza mai guardare indietro. Era una felicità, e anche un dolore, perché non c'è desiderio che, per durare nel tempo, non sia fatto di frustrazione e di fallimento. Ognuna di quelle persone di sicuro nutriva la convinzione di non aver ancora visto un certo film, una certa sequenza, una certa inquadratura che avrebbero sciolto l'ultimo sigillo – di non aver ancora afferrato quella che Goethe chiamava «la chiave di tutto».

Devo aggiungere, perché è un fatto abbastanza singolare, dotato di un suo strano simbolismo, che i cinefili non erano l'unico tipo umano a frequentare regolarmente quel luogo. Stazionava giorno e notte nelle vicinanze, esercitando una sorta di spavalda vigilanza, una banda di piccoli delinquenti, specializzata nel furto di motorini, nello spaccio di fumo, e in un'infinità di affarucci che andavano dalle scommesse clandestine al traffico di insignificanti mercanzie di provenienza illecita. A cominciare dal capo, che chiamavano il Siciliano perché aveva fatto il militare a Siracusa, erano tutte persone stupide e relativamente inoffensive, che non avrebbero mai e poi mai sfondato nella difficile carriera del crimine. Avevano ereditato la loro zona di influenza da zii e fratelli maggiori altrettanto balordi, e la conservavano perché quelle quattro strade non interessavano a nessuno di veramente pericoloso, che ci avrebbe messo non più di qualche minuto a cacciarli via a calci nel culo. La base operativa della banda era il minuscolo giardinetto al centro di una piazza che, con la sua forma perfettamente circolare, costituiva una vistosa variazione nella monotona griglia perpendicolare del quartiere. La presenza di qualche stento cipresso mi ha spesso fatto pensare a quel luogo come a una versione molto economica e scadente dell'*Isola dei morti* di Böcklin. La maggiore aspirazione di quei disgraziati sembrava consistere nell'esercizio di un costante e vano controllo di ciò che accadeva, notte e giorno, in quell'angolo anonimo e pacifico della città. Era una specie di supremazia che aveva importanza solo nella loro testa incapace di pensiero articolato, e che li costringeva a non muoversi mai dal loro impero in miniatura, mezzo ettaro di vie una uguale all'altra, che a metà pomeriggio, quando chiudevano gli uffici, diventavano tristemente silenziose e deserte. Con il cineclub, la banda aveva stabilito un patto utile e onorevole per entrambe le parti. Nessun motorino sarebbe stato rubato o manomesso nel tratto di marciapiede di fronte all'ingresso. «Ce potete lascià le chiavi, ce potete!». In cambio, gli aspiranti gangster, accompagnati o meno dalle loro incredibili pupe (ragazze pingui, con il trucco pesante, sempre lamentose e deluse, rassegnate alla cronica mancanza di denaro e prospettive di quei millantatori), avevano accesso libero e illimitato alla sala, senza bisogno di tessere e biglietti. Quando faceva freddo e non c'era di meglio da combinare, ci venivano a fare un sonnellino. Contestavano regolarmente quella programmazione raffinata – per loro, la proiezione di un vecchio film in bianco e nero, a volte addirittura muto! («te rendi conto? devi pure *leggere*!») era un fatto semplicemente incomprensibile, e le persone che venivano lì a sorbirsi quella roba dovevano necessariamente essere dei malati, dei pervertiti. «Nun è cinema! È 'na cosa che porta sfigaaaaa! Co' tutti li firm fichi che ce stanno! ma perché nun ce fate mai vede *I guerieri della notte*? Perché nun fate come ar Giulio Cesare? Pijateve un firm *novo*, 'na vorta tanto!». La penosa verità era che al Giulio Cesare, la grande sala di prima visione a pochi isolati da lì, non potevano certo fare i prepotenti, entrando quando gli pareva come fosse casa loro. E quindi si rassegnavano a pomiciare e farsi le canne protetti dal buio tiepido e accogliente della saletta del cineclub, mentre sullo schermo si allungava l'ombra infinita di Nosferatu, una tribù di pellerossa danzava intorno al fuoco, Greta Garbo in un abito da sera scintillante appariva in cima a una scalinata di marmo.

***

Se ricordo bene, la sera in cui ho conosciuto Arturo il cineclub era abbastanza affollato. In programma c'era una rassegna molto ricca di cinema sovietico, dai classici del muto ai contemporanei. L'ultimo film di quel giorno, *Stalker* di Tarkovskij, era abbastanza lungo, più di due ore, e dunque al momento della chiusura doveva essere tardi. Prima di andarmene, davo sempre un'occhiata in sala. È incredibile il numero e la varietà delle cose che la gente può dimenticare in un cinema, senza mai tornare indietro a reclamarle. Non mi aspettavo che qualcuno fosse ancora rimasto dentro. E invece, Arturo era lì, seduto in una poltrona dell'ultima fila, proprio sotto la finestrella della cabina di proiezione: il rettangolo magico, la bocca della menzogna. Sembrava non essersi nemmeno accorto di me, che lo guardavo imbarazzato: perché piangeva, gli occhi puntati sullo schermo disertato dalle immagini, opaco e indifferente come una superficie di sabbia compatta dopo il calare della marea. Lasciava scorrere le lacrime lungo il volto, che era quello di un uomo giovane e bello, rimanendo perfettamente immobile, in una specie di estasi contemplativa. Non sapevo proprio che fare. In questo mondo edificato sul decoro e l'ipocrisia, chiunque manifesti le sue emozioni senza nasconderle dietro una convenzionale cortina di cinismo è un individuo perduto, un esibizionista, qualcuno che nel migliore dei casi è necessario soccorrere. Anche l'ammirazione per un film ha dei codici che possono venire infranti solo a casa propria, o al buio: la discrezione e la convenzione stabiliscono i limiti. Nella luce cruda del fine spettacolo, quell'uomo piangente era come l'incarnazione visibile del potere dell'opera d'arte. Si era preso interamente sulle sue spalle ciò che aveva visto, si adeguava alla trasformazione che si era innescata in lui. Finché ci sarà gente così, ci saranno anche persone in grado di fare film come Tarkovskij. L'arte: una congrega di svitati. È questa l'economia fondamentale della bellezza, non le descrizioni della critica, e nemmeno le leggi più o meno probabili del successo. Parlo della bellezza *duratura*, non delle cazzate di cui si parla per qualche mese fino all'arrivo di nuove cazzate. Sono state scritte intere biblioteche su questo complesso argomento. Tra tutti i saperi umani, la scienza estetica è arrivata ben presto a una sottigliezza quasi delirante, giustificata dalla sconvolgente intensità con la quale si può reagire a una musica, a un gruppo di versi, a un'immagine dipinta. Eppure, raramente si vede un singolo individuo smarrire il contegno individuale e la consapevolezza dell'ora e del luogo come Arturo quella notte. Se ne stava lì, e mi venne da pensare, mentre mi avvicinavo con cautela – dovevo pur avvertirlo che era proprio ora di uscire, altrimenti ci avrebbero chiuso dentro dopo aver spento tutte le luci – che l'espressione *solo al mondo* non è necessariamente triste o drammatica. Siamo sempre soli nei momenti imprevedibili in cui riusciamo a intravedere l'essenziale, il midollo delle apparenze, il rovescio del ricamo. Per la maggior parte del tempo, il cammino della nostra vita si svolge nel transitorio, consiste in un lentissimo, costoso, sfibrante processo di adattamento e apprendistato che ci rende al massimo capaci di descrivere una traiettoria più o meno dignitosa dal nulla di partenza al nulla di arrivo. La varietà dei fatti può apparire infinita, ma le leggi che li governano sono poche e immutabili. Il ruolo del singolo, nell'ordine delle cose, non è facilmente comprensibile, ha tutta l'aria di un lusso e di uno spreco. La ragione stessa, se la ascoltiamo onestamente, non fa che suggerirci che l'esistenza, dal punto di vista individuale, non possiede nessun valore – conta solo la specie, il progredire nel tempo dell'orda, dell'onda umana. Tutto questo è vero, ma la verità non basta, come tutti prima o poi sperimentiamo. Fin da quando siamo bambini, diventiamo sensibili ai presagi, orecchiamo frammenti di discorsi indecifrabili, riconosciamo come familiari cose che non abbiamo mai visto fino a quel momento. Un rumore di foglie nel vento, lo sguardo di certi animali, l'effetto di certi odori... ognuno ha i suoi modi, i suoi piccoli strappi nel tessuto resistente dell'abitudine e della necessità. Cosa accade? Credo che tutti questi vacillamenti, queste transitorie e microscopiche esperienze religiose, siano una risposta del singolo alla fondamentale, necessaria *impersonalità* di ciò che ci circonda. Quell'odore, quel finto ricordo, quell'emozione suscitata dalla forma di una casa o di una collina intraviste dal treno in corsa, producono in noi la certezza illusoria di essere i destinatari di un messaggio, i bersagli di un'intenzione. Noi come concreti, irripetibili individui: nessun altro all'infuori di noi. Non è la verità, perché la verità riguarda me come chiunque altro, la verità non distingue. Si potrebbe dire che la sensazione immediata e irrazionale di possedere un destino è la suprema finzione. Non sto divagando. Quando recupero nel fondo della mia memoria, come se fosse poggiata su un fondale sabbioso, l'immagine lontanissima di Arturo in lacrime nella saletta del cineclub, una sera d'autunno del 1983 o del 1984, è un'immagine dell'essere umano satura di *individualità* quella che riporto alla coscienza. E credo anche che la profondissima influenza che ai quei tempi esercitava il cinema di Andrej Tarkovskij abbia a che vedere con tutto questo. Ovviamente c'erano delle etichette generiche, come il «cinema d'autore» o «sperimentale», che riguardavano lui come tanti altri. Ma Tarkovskij era un uomo talmente indipendente da ogni circostanza esteriore che non avrebbe mai potuto identificarsi più di tanto in una mitologia di carattere collettivo, culturale. Non era un tipo da *Cahiers du Cinéma*. Non ci fosse stato il cinema, avrebbe magari dipinto icone, o scritto poesie come suo padre, o avrebbe consumato i suoi giorni ubriaco nel fondo di qualche bettola alla periferia di Mosca, in compagnia di una puttana sfatta che fosse in grado di riportarlo a casa. Ma mentre ci preoccupiamo di definire e specializzare noi stessi e il prossimo, tralasciamo come tanti irresponsabili l'unica impresa umana che avrebbe un valore significativo, che è quella di scardinare l'ego, di strapparci dalla trappola di noi stessi e della nostra volontà, costi quel che costi. Per chi vive la propria vita come una ricerca costante e disperata di dignità e di saggezza, la condizione di «autore» può rivelarsi un ostacolo, un'ulteriore gabbia dalla quale sgusciare fuori. Con l'andare del tempo, riflettendo sul carattere unico del suo insegnamento, oggi quasi dimenticato ma così decisivo e rivelatore a quei tempi, mi sono convinto che l'ultima cosa che importava a Tarkovskij era di essere un «grande regista». E infatti non lo era, almeno nel senso un cui lo erano altri – che ne so, Stanley Kubrick o François Truffaut. Tanto per dire una cosa evidente, i suoi film sono una noia straziante, magari chiudi gli occhi per mezzo minuto e quando li riapri non ci puoi credere, sta ancora inquadrando la stessa cosa, non è successo nulla. Mi ricordo di una proiezione di *Nostalghia* in un cinema romano. A un certo punto si realizzava una situazione tipicamente «tarkovskiana»: qualcuno camminava sul fondo di una piscina vuota, doveva portare una candela accesa da un bordo all'altro o qualcosa del genere. Mentre quella sublime, ermetica insensatezza si protraeva oltre ogni tollerabilità, un grido interruppe il concentrato, partecipe silenzio che regnava in sala – «daje, ce la puoi fare co' 'sta candela!». E la goliardia romana prese il sopravvento sul misticismo russo. Tutti iniziarono a fare il tifo, e quando la scena finì scrosciò un applauso liberatorio. Con la mentalità di oggi, diremmo che l'artista, in questo caso, aveva mancato il bersaglio, aveva fatto un errore. Perché il gioco ormai consiste esclusivamente in questo: tenere buona la gente a colpi di consenso narrativo e identificazione emotiva. Come se l'unica necessità fosse quella di riuscire a intrattenere dei poveri coglioni bisognosi di emozioni. È finito il tempo delle candele, delle piscine vuote, di tutte quelle cose che ti colpivano perché non le capivi tu e non le capiva nemmeno chi le aveva inventate. Finito per sempre: non tornerà più, inutile lagnarsi. Ma nel Novecento le cose andavano diversamente: erano più ambigue, o più complesse, non saprei nemmeno bene come definirle. Per dirne una, il cinema dove proiettavano *Nostalghia* (il glorioso Majestic, in una traversa di via del Corso) quella sera era pieno. Tutti sapevano che andavano incontro a uno smarronamento epico, e ci andavano lo stesso. Per nulla al mondo quella gente si sarebbe persa un nuovo film di Tarkovskij. Poteva realizzarsi l'occasione di sfottere, come nel caso della piscina, ma questo non toglieva nulla all'ammirazione. In certi ambienti urbani, non così ristretti come si potrebbe credere, a Roma come a Parigi o a Berlino, Tarkovskij è stato l'artista più significativo dei suoi tempi. Avrebbe potuto rendere mortalmente soporifero anche un episodio di 007, ma i suoi film erano effettivamente in grado di cambiare la vita a chi li vedeva. Nello spazio mentale aperto dalla sua immaginazione, non c'era nulla o nessuno di così mortale da non proiettare un'ombra di trascendenza, di così anonimo da non poter essere nominato. E l'impronta, o meglio il cratere lasciato dalla bellezza che aveva disertato il mondo, era un'altra, definitiva forma di bellezza. Tarkovskij vedeva il mondo come lo poteva vedere un santo bizantino, un maestro del digiuno, uno scalatore di montagne sacre: e nel mondo c'era abbastanza gente come Arturo pronta a reggergli il gioco.

Alla fine, ero stato costretto a distogliere quello sconosciuto dalla sua condizione estatica. Le guance umide di lacrime, mi guardò incuriosito, come chi, uscendo da un lungo sonno, si accorge che qualcuno lo stava vegliando accanto al letto. «Non è belisimo? My god. È come di vedere tua stessa vita di quando eri un bambino in queste immagini». Mentre parlava con quel buffo italiano da anglofono, che tra gli stranieri che vivono a Roma possiede infiniti gradi di imperfezione e genialità, mi aveva stretto una mano fra le sue. Si era rivolto a me con una familiarità assoluta e incondizionata, da vecchio amico che non ha bisogno di convenevoli. Come ho già detto, era un uomo ancora giovane, decisamente bello – i lineamenti affilati e gli occhi chiarissimi gli davano l'aspetto di un uccello rapace, e nei tanti anni che l'ho frequentato a partire da quella sera ho sempre pensato a lui come a un falco. Non era solo il suo aspetto fisico a suggerirmi sempre questo totemismo che lo divertiva. Il fatto è che Arturo era letteralmente un *rapace*, se qualcosa o qualcuno risvegliava la sua fame di vivere, la sua indomabile affettività. Piombava nell'intimità del prossimo in una maniera così veloce e rettilinea che se volevi difenderti era sempre troppo tardi. La cortina di buone maniere in cui consiste la vita sociale, con tutte le sue ipocrisie e frasi fatte, è uno strumento di difesa ahimè efficacissimo, ma abbastanza elaborato e lento. Considerati dal punto di vista delle loro inibizioni, quasi tutti gli esseri umani sono come dei castellani chiusi nel loro maniero. Quell'indomabile nemico di ogni forma di chiusura preventiva che era Arturo ti fregava in velocità, perché mentre stavi ancora dando l'ordine di sollevare il ponte levatoio, lui si era già accomodato in salotto accanto al caminetto, con il tuo gatto che gli faceva le fusa sulle ginocchia – e il bello è che, mentre l'intruso ti invitava ad accomodarti come se fosse *lui* il padrone di casa, tu ti sentivi a tuo agio come non ti capitava da moltissimo tempo o non ti era mai capitato. Con l'andare del tempo, avrei capito in che misura questa singolarissima attitudine umana poteva trasformarsi non solo in una filosofia di vita, ma anche in un metodo artistico molto efficace, nel quale l'esercizio di una tecnica sobria e meticolosa si accompagnava a un sorprendente, rischioso dispendio di energie emotive. I ritratti di Arturo, almeno quelli della sua piena maturità di artista, sono sempre storie di avvicinamento, presuppongono una condizione iniziale di estraneità e spontanea diffidenza e tutte quelle strade, infinite e imprevedibili come i caratteri umani, che si percorrono quando si sceglie il gesto più difficile della nostra esistenza: annullare la distanza, trasformarla in qualche tipo di attrazione o di gravitazione reciproca.

Ma tutto questo l'avrei scoperto dopo, e del resto Arturo non aveva ancora imboccato la sua strada con l'ascetismo e l'ostinazione degli ultimi tempi, quando il desiderio di migliorarsi e di raggiungere la perfezione divenne una corsa contro il tempo. La notte che ci siamo conosciuti, quell'uomo tra i quaranta e i cinquant'anni abitava ancora, per dirla con Emily Dickinson, nella possibilità («I dwell in Possibility»). Eravamo finalmente riemersi dal cineclub, e avevamo cominciato a camminare verso il centro, costeggiando la mole scura di Castel Sant'Angelo, senza una meta precisa. Si era aperta, fra noi, una corrente istantanea di intimità ed attenzione. Arturo era uno straordinario narratore, e camminare di notte in compagnia di un nuovo amico esaltava la sua vena picaresca e maliziosa. Sembrava aver vissuto tutto ciò che aveva vissuto con la stessa intensità con cui aveva appena visto – per la decima, o la cinquantesima volta – il film di Tarkovskij. Per età, apparteneva all'ultima ondata di americani che avevano trovato in Europa, e soprattutto in Italia, quel tipo di felicità assoluta che spetta in sorte ai disertori, ai viandanti, ai cercatori di verità. Tanto meglio se omosessuali, rampolli come lui di ricche e disastrate famiglie puritane, e disposti a sperimentare tutte le infinite forme di felicità offerte, come frutta matura sui banchi del mercato, dalla sensualità mediterranea. Lunghi viaggi in India avevano perfezionato questa rinascita, allontanandolo per sempre da un'origine con cui solo negli ultimi anni avrebbe sentito il bisogno di fare i conti. Dalla Francia a Roma era venuto per la prima volta a piedi, all'inizio degli anni Settanta. Tutto quello che può annidarsi nella parola *love* gli era piovuto addosso. «A quanti uomini ho preso il cazzo in bocca? Come dite voi? *miliaia?* Tutte le campane del *catolicismo* hanno suonato per me, capisci what I mean? Mi svegliavo every morning in un letto diverso: operai, profesori, taxi drivers, e spesso pure loro mogli, così era a quei tempi, quando sono stato qui la prima volta. Questo è stato my second birth, il mio batesimo, perché io sono diventato italiano, non significa nulla il pasaporto, the nationality, così sono diventato *Arturo*, più italiano di te, Arthur Nathaniel Patten è morto e a suo posto è nato Arturo...». Nel corso del tempo, avrei ascoltato un numero incalcolabile di monologhi di quell'uomo incantevole e prepotente, che non si vergognava né di ciò che lo rendeva felice né delle sue ferite. Di tutti gli esercizi di cui è capace la memoria, il più difficile è andare a ritroso, spogliandosi di ciò che ha accumulato, recuperando una condizione primitiva di sorpresa e di ignoranza, quando abbiamo appena incontrato una persona destinata a esercitare un'influenza profonda e decisiva su di noi, ma non possiamo immaginare nulla di ciò che accadrà in seguito. Grazie a YouTube, perlomeno, mi è facile recuperare un'immagine di Arturo come era all'epoca in cui l'ho conosciuto. Devo evocare, dopo quella di Andrej Tarkovskij, l'ombra più benevola di Federico Fellini. Nel 1985, Fellini girò una celebre pubblicità della pasta Barilla. Un'opera sontuosa nel suo genere, con le scene di Danilo Donati e la musica di Nino Rota arrangiata da Nicola Piovani. Aveva addirittura un titolo, *Alta società*, e si svolgeva in un ristorante di lusso. I protagonisti sono due amanti, interpretati da Greta Vayan e Maurizio Mauri, che stanno lì a scambiarsi sguardi fin troppo eloquenti e maliziosi quando vengono interrotti per le ordinazioni. Il maître comincia a sciorinare un elenco altisonante di piatti francesi, consommé d'Orléans e roba del genere. Greta Vayan ascolta cortesemente, mostrando il suo splendido sorriso, e poi pronuncia una sola parola salvifica – *rigatoni*. La dea con quelle quattro sillabe scioglie un tetro incantesimo, riscattando la terra desolata del menù francese, dando la stura a una primavera di piacere. *Rigatoni*: come se stesse ordinando un piatto di bei cazzi, ma senza malizia, perché una dea non ha bisogno di malizia. Anche il maître può finalmente sorridere e in coro con i camerieri che lo scortano risponde «Barilla!». Il ristorante sembra liberato dal malvagio incantesimo di quei cibi francesi, e tutti gli avventori si girano verso la buona Venere dei Rigatoni per approvare e assistere al prodigio. Ed ecco che, un paio di secondi prima della fine, appare il volto di Arturo, tra i commensali di un tavolo vicino. Una dottrina molto consolante afferma che il giorno del Giudizio Universale la nostra anima potrà riunirsi a un corpo identico a quello che avevamo, ma senza difetti, e incorruttibile. Questo corpo glorioso, insomma, come lo chiamano i teologi, ci restituirà la nostra natura fisica al grado supremo della sua bellezza. Per questo i pittori di un tempo escludevano dalla rappresentazione del Giudizio vecchi e bambini, mostrando un'umanità di trentenni nel pieno della loro avvenenza. E se è vero che le uniche profezie credibili si annidano dove meno ce lo aspettiamo, in quella manciata di fotogrammi della pubblicità della pasta Barilla mi sembra possibile intravedere Arturo al momento della sua resurrezione.

COLEI CHE INDICA LA STRADA

Mentre procedo per via dei Cappellari cercando la casa dov'è nato Metastasio devo arrendermi all'evidenza, è sempre la stessa storia, la passeggiata romana è un'arte acrobatica, ti costringe a cercare un equilibrio, un piede nella realtà l'altro in chissà cosa, e questo sarebbe ancora accettabile tutto sommato, una semplice scissione, se non che, a un ulteriore esame, ti rendi conto che proprio quella che avevi considerato la «realtà» non ha nulla di attendibile, potrebbe trattarsi della più infida delle allucinazioni – ed eccoti invischiato nel solito carnevale, i vivi e i morti, gli oggetti inanimati, i suoni, gli stati della luce come maschere di un'unica sostanza, di un'esalazione sotterranea, di un gas inebriante. Tempo e spazio come assi mal commesse. E tutto continua a smarrire la sua natura specifica in queste stradine decrepite del centro, sempre identiche, sempre inospitali, a parte qualche citofono e qualche insegna le vedi oggi tali e quali alle stampe del Vasi o di Piranesi, i loro malsani budelli si allungano fra le moli dei palazzi e delle chiese come nelle mappe più antiche. Ed ecco Arturo che emerge dalla penombra di una porta socchiusa, da un odore di fiori marciti sul fondo di un vaso, da una macchia d'umido. Come se niente fosse. Perché anche se è vero che prima o poi le anime dei morti si dissolvono nel nulla – e chi lo può negare, che motivo avrebbero di non allontanarsi nell'inesistenza, suprema beatitudine! – è pure lecito pensare che quando hanno amato le cose del mondo come ha fatto Arturo, dalle radici alla punta estrema dell'essere, senza risparmio e senza rancore, fino all'ultimo respiro, così come vale la pena di amarle, allora quell'amore rimane, è una traccia che persiste, si insinua anche nella materia più greve e in certe ore la fa risplendere come polvere di quarzo che brilla nella pietra.

Non so spiegarmelo bene. A un dato momento, in certe condizioni che si verificano senza preavviso, comincio a vedere Roma con lo sguardo di Arturo. È come se dai miei occhi si sollevasse una membrana, il torpido diaframma dell'ego e delle sue abitudini. Gli spazi, gli edifici, le prospettive acquistano all'improvviso una pienezza di dimensioni, un equilibrio di volumi e contorni, una tensione come di vela spiegata. La bellezza latente si manifesta in una specie di fioritura fuori stagione. E le relazioni tra gli esseri umani, anche i più casuali contatti a un incrocio affollato, esprimono la fatalità e la necessità dei romanzi e dei film, dove gli sconosciuti si incontrano sempre nel posto giusto e nelle circostanze più opportune. «Le persone non guardano, sono troppo timide, capisci? Così ti insegnano, quando sei bambino: tu devi vedere solo *necesario*. Come tanti cavalini di carrozze, do you know what I mean? Perché se solo guardano, guardano *vero*, il mondo esplode. Bang! Tutto diventa *Star wars!* Così comincia rivoluzione!!!». Ci siamo dati innumerevoli appuntamenti in posti come questo, dove via dei Cappellari sbocca in campo de' Fiori, vicino al forno che spande tutto il giorno il suo odore soave, materno, oleoso di pizza bianca. Gli occhi rapaci di Arturo vagavano senza tregua fra il cielo e la terra, come se avesse fretta di memorizzare il maggior numero possibile di apparenze prima che un dio in vena di scherzi ripiombasse il Cosmo nel buio e nell'indistinto da cui l'aveva momentaneamente estratto. Ma non si limitava a incamerare, reagiva a tutto: attrazioni e repulsioni si susseguivano a un ritmo vertiginoso, impossibile da seguire. Sembrava sempre sfidare la naturale indolenza delle cose che osservava: provocandole, facendole ruzzolare fuori dal loro bozzolo di consuetudini, e infine costringendole a rivelare una natura più nascosta, un midollo di significati, un'essenza preziosa. Visitavamo chiese e musei, ci infilavamo nei cortili dei palazzi. Arturo adorava i rari frammenti di medioevo che a Roma scappano sempre fuori dagli strati di rinascimento e di barocco come un'erba tenace tra le fessure di un lastricato. I mosaici dei maestri scappati da Bisanzio, nella conca delle absidi. I simboli scolpiti sulle transenne di marmo candido: chiavi e agnelli, pani e pesci, navi. Le icone miracolose, intatte negli incendi, o emerse dal fondo dei pozzi durante le inondazioni. Per lui, Roma non era diversa dalla Zona del film di Tarkovskij, ne abbiamo parlato tanto, non aveva dubbi. Arturo era un vero stalker[1]. Se c'è una cosa che ho imparato da lui, è che qualunque cosa tu guardi con un grado adeguato di intensità, diventa letteralmente sovrannaturale, inizia a vivere di una vita propria e imprevedibile. Come dice quella pagina famosa di Rilke, per scrivere un solo verso devi aver visto tantissime cose: città, persone, opere d'arte, eccetera. Ma il vedere di cui parla Rilke, che è anche il vedere di Tarkovskij, e di Arturo, ha ben poco a che fare con la vista intesa come percezione, semplice presa d'atto del mondo esterno. Semmai si potrebbe definire come una capacità di comprensione e di assimilazione, che rende possibile il più grande evento spirituale della vita umana: *l'esteriore che diventa interiore*. Una minima parte di ciò che è fuori passa dentro, si riflette nello spirito (o nell'anima, se preferite, nella psiche... non ha importanza) come sul fondo di una camera oscura. È molto più di un'immagine, di una cosa ricordata. È quella cosa stessa che ci sta davanti, un corpo amato, un'opera d'arte, un gioco di nuvole nel cielo... irriducibile, incommensurabile. Eppure, proprio perché non possiamo assimilare ciò che amiamo, non possiamo trattenerlo né ridurlo alle nostre esigue dimensioni, se ne siamo capaci possiamo *farlo*

---

1 Vedi appendice 1.

entrare – ed ecco che continua a stare fuori, dove deve stare, ma nello stesso tempo è dentro, fa parte di noi, è in noi che trova la sua salvezza, la sua durata. Quello che ammiravo in Arturo, era l'efficacia di questo processo alchimistico. Non capivo, né ho capito in seguito, se fosse un dono di natura o la conseguenza di un lungo esercizio. Ma forse non si tratta di un'alternativa così netta. Solo l'esercizio rivela il dono di natura, e solo il dono di natura rende utile l'esercizio. Probabilmente aveva anche bisogno di una spalla, di qualcuno da provocare, da strappare alla pigrizia, da rapire in quel clima di allerta e risveglio. Voglio dire che lo immagino molto più facilmente nell'atto di *mostrare* una cosa che gli piaceva che in quello di godersela da solo. Fatto sta, che il numero di luoghi di Roma, di quadri, di architetture che associo ad Arturo è quasi infinito. Mi ricordo una mattina, doveva essere il 1987 o il 1988 – un tempo così remoto che è come se ricordassi la vita di un altro – che mi buttò giù dal letto prestissimo. Mi chiamava dal telefono di un bar dalle parti del Pantheon. Dovevo raggiungerlo subito! «Sei *uno scritore*? Cosa sprechi tua vita dormendo? You must see that!!!». Sì, sicuramente dovevo vederla, quella cosa – qualunque cosa fosse. Non c'era verso di smorzare Arturo, di sgualcire il fiore del suo entusiasmo. Presi il motorino e lo raggiunsi nel giro di venti minuti. A giudicare dalla veemenza dell'invito, ne valeva la pena. Ed era proprio così: in uno spiazzo insignificante di fianco al Senato, tra via della Dogana Vecchia e corso Rinascimento, avevano appena sistemato una fontana romana emersa da uno scavo. Una conca immensa, ricavata da un unico blocco di granito, perfettamente circolare. Riempito d'acqua, quell'oggetto inerte aveva ripreso vita dopo secoli trascorsi nel buio della terra: un prodigioso seme di bellezza. Nell'equilibrio dei volumi, nel perfetto accordo del solido e del liquido, c'era qualcosa di imponente, ma anche di delicato. La forma perfetta non negava la *pesanteur* del granito, ma in qualche modo la riscattava. Quello che vedevamo, poteva far pensare a un bicchiere colmo per dissetare un gigante; ma costui avrebbe dovuto impugnarne lo stelo e accostarselo alle labbra con tutta la cautela necessaria a maneggiare un oggetto leggero e fragile come cristallo. Arturo non si stancava di accarezzare il bordo della fontana, lambito dall'acqua. Abbracciava quell'enorme pezzo di granito, appena intiepidito dal calore del mattino di primavera, con una sensualità che si riserva agli esseri viventi. Ma è proprio questo il punto. Dov'è che passa il confine del vivente? L'animato e l'inanimato, la fontana e colui che la guarda, non sono forse accomunati da un identico destino di *creature*, di *creazioni*? Proprio questa è una Zona: un luogo in cui certe analogie essenziali, certe consanguineità fra i vari regni dell'esistenza diventano evidenti. Cos'è un minerale, cos'è un uomo? Tutto ciò che esiste è una forma, più o meno evidente, più o meno sviluppata – un ricettacolo di forze, di tensioni, di equilibri imprevedibili. E anche noi due, soli in quell'angolo silenzioso di Roma, eravamo diventati una parte di quella storia, un'energia saggia e potente e imperscrutabile ci aveva risucchiato al suo interno. Con la sua sensibilissima antenna metafisica, Arturo aveva afferrato la posta in gioco. E aveva sempre le parole per definirla. «Capisci, you see, dopo tanto tempo tutti quattro gli elementi si sono ritrovati!». Aveva perfettamente ragione. C'erano il granito e l'acqua, ricongiunti dopo secoli di attesa, e l'acqua rifletteva il cielo e il fuoco del sole. «È il cerchio! Questo è il miracolo che sa fare il cerchio! Lui aspetta tutti i secoli, under the ground, perché è più forte!»

***

Che bizzarra coppia di spettri, Arturo e Metastasio, è per Metastasio in realtà che sono venuto a via dei Cappellari, per rivedere dopo tanti anni la casa dov'è nato, anche questa è una storia che ha a che vedere con Arturo – non si potrebbe concepire due persone così diverse, uno espansivo e prepotente, l'altro cortese con tutti, prudente, egoista; uno che amava così tanto Roma, l'altro che non ci rimise mai piede, una volta trovato lavoro a Vienna, il miglior lavoro che si potesse concepire, poeta di corte, poeta cesareo come si diceva allora, il più famoso poeta in Europa per più di mezzo secolo, invidiato, adulato, inimitabile – lui che era figlio di un uomo rozzissimo, un soldato del Papa, poi commerciante di olio e farina, e di una donnetta di Bologna. Ma una cosa, il mio amico e il celebre poeta, ce l'avevano in comune: l'energia della fuga, la felicità degli espatriati, degli sradicati. Ho copiato sul mio quaderno una frase di una lettera di Metastasio – *«sono ancora lontano dal punto onde partii»*, questo è il suo bilancio supremo: le migliaia di versi scritti, gli spettacoli, i viaggi, la vita a corte, la musica, gli amori, tutto è servito a fare da contrappeso a un'origine odiosa, a mantenerlo distante di lì, a non farsene risucchiare per viltà o per nostalgia o per semplice stanchezza. Questa è la cosa più importante della vita, scrive il poeta ormai vecchio, stare *lontano* dal punto di partenza, non basta che il tempo passi, si sente che l'idea di tornare indietro gli fa ancora paura, esiste dunque un sentimento senza nome che è l'esatto contrario della nostalgia, forse nel suo comodo letto viennese Metastasio se la sognava di notte via dei Cappellari, con i suoi odori di uomini e di animali, di verdure cotte e di merda, di pelli conciate e di fieno, con gli strilli dei bambini, le imprecazioni, i lamenti delle comari romane la cui unica soddisfazione è sempre stata quella di venire deluse ed ingannate dalla vita e ricamarci sopra un'amara e petulante filosofia. *«Sono sempre lontano dal punto onde partii»*.

IN QUESTA CASA
A DI 3 GENNAIO DEL 1698
NASCEVA PIETRO TRAPASSI
NOTO AL MONDO
COL NOME DI METASTASIO

S. P. Q. R.
1873

Tutto qui? Come se la vita di quest'uomo si riducesse al fatto di essere nato con un nome normalissimo come Pietro Trapassi, e di averlo cambiato con uno pseudonimo, Metastasio: un trucchetto da pedanti, anche un po' funebre, una specie di traduzione greca di *trapassare*. Sotto l'arco di un vecchio convento che proprio in questo punto attraversa la stradina la luce è debole come in una grotta, le parole della targa mai ripulita si leggono a fatica. *Noto al mondo*. Tutti gli esseri umani, lo vogliano o meno, ci pensino sopra o meno, sono dei trapassanti, dei metastàsi, noi non facciamo che trapassare, possiamo illuderci di essere qui per qualcosa d'altro, uno scopo o un colpo di fortuna o un ideale, ma di fatto non c'è un singolo secondo in cui non trapassiamo. La casa del poeta: semplice come il disegno di un bambino, una porta più piccola e a fianco una più grande, oggi devastata dai graffiti, abbastanza larga per farci passare un carretto, ai suoi tempi. Ci sono dei luoghi, in questa città, così sordidi, così privi di qualunque accenno di speranza, così immobili nel loro sconforto e sottomessi a oscure forze deprimenti, che sembra addirittura sprigionarsi dalle pietre corrose e dalle finestre sbarrate una melodia fatale, un richiamo di piffero magico. Solo la casa di Dostoevskij a San Pietroburgo mi ha ispirato un tale senso di sconforto, di vita irrimediabilmente lesa, tediata, infreddolita. Ci si arriva attraversando un quartiere di poveracci, tossici che vomitano in mezzo alla strada e vecchiette che vendono rape e mazzetti di cipolle mezze marce sui cofani di macchine arrugginite. Tutta la storia di *Delitto e castigo* è ambientata da quelle parti. Ma lì l'infelicità ha un tono grandioso, titanico, fieramente slavo, che nelle vecchie strade di Roma si smorza, finge di ingentilirsi diventando ancora più letale. È proprio l'atmosfera che Ettore Roesler Franz riuscì a catturare negli ultimi anni dell'Ottocento, in un acquarello che dedicò alla strada, letteralmente intriso di umidità e rassegnazione e puzza di cavolo bollito.

«*Sono ancora lontano dal punto onde partii*». Secondo Carducci, come Parini era un tipico figlio della plebe padana, Metastasio rappresentava perfettamente quella meridionale – «molle, sensuale, disposta a patire». A quei tempi, una sola regola preservava la società dalla sua dissoluzione. Se nascevi Pietro Trapassi, il 3 gennaio del 1698, a via dei Cappellari, Pietro Trapassi dovevi morire. Che il figlio di un mercante di olio e farina diventasse *noto al mondo*, che diventasse il celebre Metastasio, era non solo una cosa disdicevole, ma un portento della stessa specie dei vitelli con due teste, delle eclissi, dei maremoti. L'unica cosa possibile, a via dei Cappellari, era imparare un mestiere. E il padre infatti lo aveva mandato a fare il garzone in una bottega di orafo. È a questo punto – tra i dieci e gli undici anni – che succede un fatto straordinario, probabilmente il più straordinario di tutta la lunga vita di Metastasio. Ci sono dei momenti particolari in cui il corso degli eventi assume quella particolare coloritura di irrealtà e insieme di arcana necessità che associamo alle favole. Come se fosse venuto il momento di tirare fuori un dono ricevuto alla nascita da qualche fata di passaggio, una vecchia e sdentata fata rionale di Roma, il ragazzino mingherlino e malaticcio, il figlio del mercante di farina si rivela capace di verseggiare all'impronta, con tanto di rime al posto giusto, su qualunque argomento gli venga richiesto. «Strano fenomeno», ricorderà lui stesso da adulto, non sapendolo spiegare in nessun modo. Ma è così. Gli chiedono di descrivere il suono di una fontana, l'inizio della primavera, una processione, un animale esotico, un matrimonio. Lui apre bocca e tutto si trasforma in una poesia. Il ritmo lo trascina dove un attimo prima non sapeva nemmeno immaginare. Un mondo finto e aggraziato, a suo modo perfetto come un paesaggio bucolico dipinto su una tazza di porcellana. Terminata la performance si sente annientato, vuoto, ma non sa farne a meno. Diventa una specie di attrazione ambulante. Se si esibisce in mezzo alla strada, rapidamente si forma un capannello di oziosi che fanno a gara nel proporgli i più insulsi e difficoltosi argomenti. Ma i signori le attrazioni non le vanno a cercare in giro, se le fanno portare nei loro palazzi, nei loro saloni. In quella città dove ogni novità è così rara da venire rapidamente contesa trasformandosi in una moda, iniziano a chiamarlo dovunque. Anche due volte al giorno. Lui non può certo fare il prezioso, viene da un ceto sociale sempre pronto a scattare quando i signori si degnano di esprimere un desiderio. Ovviamente non è il solo improvvisatore a Roma. Ma gli altri sono uomini adulti, già a loro modo celebri, vecchie volpi incancrenite nella buona società, mentre lui è un bambino. Un Mozart della futilità. Eccolo correre, come ricorda tanti anni dopo, ad «appagare il capriccio di una dama», poi «a soddisfar la curiosità di qualche illustre idiota», o a fare da riempitivo in un raduno mondano dove ci si rischiava di annoiare. Il bello è che, di tutta quella poderosa attività mentale, da adulto non riuscirà a ricordare che un paio di versi. Se qualcuno al momento li trascriveva, doveva farlo di nascosto per non soffocare importunamente quella parodia di ispirazione. Era una specie di condizione di follia indotta, di invasamento artificiale molto pericoloso per la salute. La testa si riscaldava, le guance diventavano rosse, mentre «le mani e le altre estremità del corpo rimanevan di ghiaccio». Quando compì sedici anni Vincenzo Gravina, il suo primo protettore, il dottissimo filosofo e giurista che lo aveva adottato e preso in casa sua a studiare, e che aveva escogitato il nome di Metastasio, gli proibì di perseverare nell'«inutile e meraviglioso mestiere». Ma se quell'uomo illustre, quel ricco e geniale pazzoide gli aveva cambiato la vita, estraendolo dalla folla anonima dei ragazzini di via dei Cappellari, era stato proprio perché durante una passeggiata lo aveva notato che improvvisava, a qualche angolo di strada, circondato dai perditempo che a Roma non mancano mai. E per tutta la sua lunga vita, mentre veniva onorato, vezzeggiato, rispettato, imitato... Metastasio sarebbe rimasto, come ogni artista di questo mondo, una specie di attrazione, un eterno improvvisatore costretto ad attingere allo stesso pozzo, allo stesso «strano fenomeno» – quella masochistica, perniciosa disponibilità a mettersi in scena, a subire il giudizio degli altri, a mendicarne in ogni modo il favore e l'attenzione (anche quando si ostentano l'orgoglio e l'indipendenza), a vivere nel terrore di non essere più in grado, e dunque di non essere più nulla, come un giocattolo rotto. La testa surriscaldata e le estremità gelate.

***

Il luogo più importante della Zona, nel film di Tarkovskij, è la «stanza dei desideri». Anche il migliore degli stalker, il più esperto e coraggioso, teme questo portento. E in effetti, l'energia sconosciuta che ha sottratto la Zona alle leggi di natura non poteva manifestarsi con un fenomeno più pericoloso. Noi viviamo all'ombra di desideri che non si realizzano, la frustrazione protegge la specie e l'individuo, li orienta nel tempo e nello spazio, fa della vita qualcosa di vivibile. Nella «stanza dei desideri», al contrario, tutto ciò che si vuole diventa realtà, e questa realtà è il più atroce, impietoso degli specchi. Un luogo dove si realizzassero le nostre più profonde paure non sarebbe così pericoloso. Siamo sempre consapevoli di ciò che ci fa paura, mentre nessuno al mondo si conosce così bene da poter dire che cosa desidera veramente e che cosa, invece, immagina solo di desiderare. Una città, soprattutto una città molto antica come Roma, così antica che la si direbbe imbrattata di tempo, deve per forza essere piena di stanze dei desideri. Mi lascio alle spalle la casa di Metastasio e mi avvio verso l'incrocio con via del Pellegrino. Nelle sere come queste, tra Natale e Capodanno, le strade del centro, intrise di una pioggerella rada ma perpetua, possono prendere un'aria ostile, tendere trappole di sensi di colpa, smarrimenti, rimorsi. Come una balena spiaggiata, Roma si decompone ora dopo ora, senza un rimedio, la sua carne livida e marcia rischiarata dall'intermittenza azzurrina delle luminarie.

Ci sono dei giorni in cui scarpinare da un luogo all'altro della città è l'unica risorsa che mi rimane. È come se, grazie al puro e semplice esercizio del movimento, assieme alla circolazione si riattivasse quel senso narrativo dell'esistenza che è così importante per sopravvivere con un briciolo di senno. Dopo un paio d'ore ne ricavo infallibilmente un beneficio, mi sento parte di un meccanismo universale, quasi intravedo la possibilità di raccontarmi una storia, non importa che sia molto allegra, non importa che descriva una curva ascendente, o che alluda addirittura a una forma di redenzione, all'acquisto di una comprensione, ci mancherebbe altro, non è roba per me – è solo il sentimento elementare di appartenere alla sfera comune, di spartire con il prossimo una sorte che, se possiede innumerevoli varianti e sfumature, tutto sommato è la vita umana. In questa illusione inestimabile consiste il vantaggio che le persone depresse ricavano dall'uscire di casa, la casa e in generale gli spazi chiusi sono nocivi perché si impregnano troppo facilmente di un'ombra immobile, quasi consistente, una specie di nebbia scura che il depresso secerne come il polpo fa con l'inchiostro, e dentro questa oscurità, al contrario di quello che è possibile percepire camminando, *non accade mai niente*, i pensieri si ripresentano identici a se stessi e indifferenti a tutto, non sono nemmeno pensieri, ma lugubri certezze: è troppo tardi, non è abbastanza, è impossibile che, il problema fondamentale della depressione è che un pensiero, un'idea, non può riaffacciarsi nella mente in maniera infinita e circolare, oltre un certo limite diventa perniciosa, si ingigantisce e perde qualunque significato, questo è esattamente il famoso mondo dei depressi, fatto di cose enormi e insignificanti, tanto più enormi quanto più prive di senso – una terra senza storie, senza il potere che hanno le storie di suggerirci una nostra consistenza fatta di ritmi, di pieni e vuoti, di giorni e notti. Te ne stai lì, riempiendo il tuo cucchiaio di uno sciroppo di tenebre *appiccicose.*

Mi lascio alle spalle l'incrocio tra via dei Cappellari e via del Pellegrino, non smette mai di piovere oggi, eppure è come se non si decidesse mai a piovere davvero, verosimilmente sono l'unico idiota che va in giro con un tempo così sgradevole in cerca di targhe commemorative e vecchie case, ma chi lo può dire in questa città di maniaci e fanatici. I giorni dopo Natale non ci sono nemmeno tante macchine in giro, quando imbocco corso Vittorio Emanuele non se ne vede nemmeno una né dalla parte del Tevere né dall'altra, mi dirigo a sinistra verso la Chiesa Nuova. Come gli uccelli si fanno il nido raccattando in giro tutto ciò che può servire, così noi imbastiamo una storia credibile da usare come un antidoto alla totale ottusità e all'indifferenza delle cose, nessuno è in grado di sostenere la verità, solo nel nostro riparo di finzioni l'esistenza è tollerabile se non sempre felice, fin da piccoli è proprio a questo che veniamo educati, a *immaginarci,* a costruire una versione narrativa di noi stessi che ci preservi dalla disperazione e dalla follia sempre in agguato. Abbiamo solo qualche settimana e già, a quanto pare, iniziano a piantare i noi i primi semi di una capacità narrativa che deve svilupparsi rapidamente, è una vera lotta contro il tempo, contro la verità, contro la potenza stessa delle forze della natura pronte a sradicarci senza nemmeno sapere chi siamo e che vogliamo. Ecco il neonato di due mesi adagiato nella sua culla, non sa niente di niente, vive di soddisfazioni e infelicità talmente elementari che l'istinto ne divora infallibilmente la memoria, nemmeno il colore degli occhi è ancora definibile, eppure in un certo senso è tardi, deve già imparare. Sopra la sua testa, appesi a un cerchio, ruotano dei pupazzi di stoffa, un cerbiatto, un coniglietto, una farfallina. Si muovono in modo che prima l'uno e poi l'altro, nel loro itinerario circolare, finiscano proprio sulla testa del neonato, poi si allontanino, poi ritornino, il cerchio è paziente, ad ogni giro tesse la prima storia, la storia della farfallina per esempio, è una storia bellissima, il primo filo d'erba del nido, la farfallina che arriva sempre, ma non si ferma mai, dove sarà finita, al pupo viene quasi da piangere, ma no, eccola qui, valeva la pena di aspettarla, è così che si impara, anche campando cent'anni non ci sarà mai nulla di meglio della farfallina e degli oscuri motivi che la inducono a comportarsi in maniera così crudele e dopo a riempirci di gioia per poi ripiombarci un'altra volta nell'oscurità e nella mancanza.

Brandendo un cartone di vino, come se volesse dedicare un brindisi solo lui sa a chi, un barbone ubriaco procede sulla linea spartitraffico di corso Vittorio. Vedo un autobus solitario che procede lentamente in direzione del fiume, e decido di attraversare la strada per toglierlo di lì, potrebbe scivolare, fare qualche cazzata. Mentre lo convinco a risalire sul marciapiede, quest'uomo con una grande barba ormai bianca, avvolto nel suo tanfo di urina e lana bagnata, mi confida di conoscere importanti segreti su Cuba e la famiglia dei Castro, *i famosi comunisti*, come li definisce ammiccando, con evidente sarcasmo, perché lui, che per molto tempo è stato *cameriere privato* di Raul Castro, senza dubbio il più *finto* della famiglia, e anche il più intelligente, sul comunismo di quella gente ne avrebbe di belle da raccontare. In linea di principio, anche questo tipo di farneticazioni svolge un suo ruolo vitale, di sostentamento e orientamento, mentre lo ascolto ammorbato dal fiato vinoso non posso impedirmi di pensare che quest'uomo, che di sicuro è andato molto avanti sulla strada dell'annientamento, quest'uomo che verosimilmente non ce l'ha fatta, d'altra parte non ha ancora toccato il fondo, il peggio, è insomma ancora capace di secernere una sua bava narrativa, di tessere la sua ragnatela di significati. Il fondo non è delirare sulla famiglia Castro rischiando di finire sotto un autobus o di non superare la notte per il freddo e gli stenti, quelli sono gli incerti di una data condizione umana, il vero fondo è quando non ti racconti più nulla in cui puoi credere, quando per qualche motivo finisce il carburante, la possibilità di collocarti in una storia anche minima, anche misera, e di collocare a sua volta quella storia nel mondo che altrimenti *ti apparirà per quello che è*, ovvero un insieme di fenomeni che ti sono del tutto estranei, che non prevedono in nessun modo un tuo adattamento, e che comunque sono talmente inesplicabili che mentre cammini per la tua città hai la sensazione che l'insieme delle strade e delle piazze e le attività umane e il cielo stesso si siano mossi come un'immensa carovana lasciandoti indietro, solo e incapace di saltarci sopra rincorrendola, eppure eri lì dentro anche tu, ti sembrava di avere un ruolo, una posizione nell'ingranaggio, un nome, delle abitudini, degli itinerari, ma non era così, nulla di tutto questo era fatto per te. Perdi la capacità di ingannarti e in cambio ti trovi in mano un verità micidiale, la verità dei suicidi. Senza sapere come o quando, hai varcato la soglia della stanza dei desideri.

Metto cinque euro in mano al barbone, al cameriere privato di Raul Castro, e mi dirigo verso la Chiesa Nuova. Lo slargo è deserto, in cielo si prolunga il rimbombo di un tuono. La statua di Metastasio, sul suo piedistallo, ha l'aria di vegliare sulla fila di taxi ai suoi piedi. Protetta dai rami di una frondosa paulonia, un po' scurita dalle esalazioni del traffico, non è né brutta né bella, come si addice a una statua di fine Ottocento dedicata dal Comune di Roma a un suo cittadino illustre: lo pseudonimo vivente, il trapassante. Tutti questi monumenti, nati per conservare una forma elementare di memoria collettiva, finiscono rapidamente per incarnare l'esatto contrario, sono immagini eloquenti della dimenticanza, puri ingombri che non suscitano nessuna curiosità, chi mai si sognerebbe di verificare chi è quell'uomo in marsina, con lo scarpino elegante che sporge dall'orlo del piedistallo, un manoscritto in una mano e la penna d'oca nell'altra. Su un colonnino, al suo fianco, stanno impilate molte altre carte, libri, scartafacci di varia misura, in maniera da dare l'impressione di una grande fertilità, ma anche di un equilibrio molto precario. Lo scultore ha finito per conferire al poeta un'espressione talmente vacua, talmente anonima, che anche i piccioni appollaiati sulle sue spalle o tra le sue gambe sembrano dotati di una maggiore vivacità di spirito. Del tutto involontariamente, ma proprio per questo in maniera molto convincente, la sua opera suggerisce di considerare la celebrità letteraria una forma irrimediabile e perpetua di demenza.

Non era stata concepita per stare qui, di fronte alla Chiesa Nuova, la statua di Metastasio, ma a piazza San Silvestro, dove però a un certo punto diventò un ingombro per il traffico. Ed è così che oggi il monumento aspetta la fine del mondo a pochi passi dalla casa natale del poeta. Non è, questo, un caso isolato: per secoli a Roma uno degli attributi principali del potere sembra essere stato proprio quello di spostare le cose, accostarle fra loro in combinazioni inaudite, dotarle di appendici ed ornamenti, la città come un immenso gioco per bambini, o se si preferisce una scacchiera, quanto più grande la mole degli oggetti spostati – come nel caso degli obelischi – tanto più evidente e indiscutibile il prestigio di chi ne decretava lo spostamento. Anche la fontana a pochi metri dalla statua di Metastasio fu messa lì durante il fascismo, proviene da un altro posto, la si riconosce con la sua strana forma di zuppiera in molte stampe antiche di campo de' Fiori, nei pressi della forca che dominava la piazza, sempre in attesa di nuovi condannati. AMA DIO E NON FALLIRE FA DEL BENE E LASCIA DIRE si legge sulla parte superiore – e chi potrebbe trascurare i saggi consigli di una zuppiera?

Vienna, primavera 1733

Sogni, e favole io fingo; e pure in carte
Mentre favole, e sogni orno, e disegno,
In lor, folle ch'io son, prendo tal parte,
Che del mal che inventai piango, e mi sdegno.

Tutto ciò che scrivo, afferma Metastasio, come se fosse in preda a un bisogno improvviso di ricordare a se stesso un'ovvietà, come se proprio le cose più ovvie fossero quelle che è più facile dimenticare – non c'è nulla in effetti di più insopportabile dell'ovvio – tutto ciò che scrivo è *finto*, non sta né in cielo né in terra, partecipa della stessa natura chimerica e astratta dei sogni e delle favole. Ebbene sì, parola del grande Metastasio, l'autore della *Didone abbandonata* e dell'*Adriano in Siria*, lo *charmant Métastase* come lo chiama Stendhal: sono tutte cazzate, non potrebbe essere diversamente. Non per altro il suo augustissimo *padrone*, come lo chiama sempre senza la minima ombra di ironia o di amarezza, Sua Altezza Imperiale Carlo VI d'Asburgo, gli elargisce la sua distratta benevolenza, il titolo di *poeta cesareo* e tremila fiorini l'anno, più qualche imprevedibile regaluzzo. L'Imperatore: un «colossale e sontuoso burattino», come è stato definito e come appare nel famoso ritratto di Johann Gottfried Auerbach, tutto guarnito di piume e di pizzi. Un uomo incapace di affetti, ansioso, infelice, momentaneamente distratto dal male di vivere solo grazie alla caccia e alla musica. E Metastasio è lì a servizio, sfornando sogni e favole, melodiose consolazioni per il sovrano e la sua corte di boriosi deficienti. In questo modo trascorre la sua vita, nella casa ben riscaldata sul Kohlmarkt, così vicina alla Michaelerkirche che le antiche e solenni campane, nei giorni di festa, fanno vibrare leggermente i vetri dello studio e le gambe sottili e ritorte del tavolino che usa per scrivere. A meno che non siano i nervi, i maledetti nervi che gli fanno sempre percepire più cose di quanto sarebbe strettamente necessario a tirare avanti. La sua vita: una perpetua generazione di fandonie. Il bianco della carta che si riempie di illusioni: un disegno da rifinire, un minuzioso lavoro di ornato, apparenze fatte di nulla. Nient'altro. Lo sa bene e nessuno potrebbe saperlo meglio di lui – il numero uno, l'inimitabile, il più irresistibile pifferaio magico in circolazione per l'Europa. *Le charmant Métastase*.

Eppure, prosegue Metastasio – e qui inizia il bello – io sono un pazzo. *Folle ch'io son!* Ciò in cui consiste precisamente la mia pazzia è il partecipare, il prendere parte alle mie fantasie, pur sapendo bene che non si tratta di altro che di innocue menzogne, *come se fossero vere.*

...del mal che inventai piango, e mi sdegno...

E dunque eccomi qui a considerare con gli occhi umidi il male appena inventato, come se non ce ne fossero abbastanza di veri su cui piangere, sdegnarsi: una scena patetica che si svolge tra due persone talmente campate in aria da chiamarsi, mettiamo, Licida e Megacle. I protagonisti dell'*Olimpiade*, il nuovo dramma che deve andare in scena il 28 agosto – già il tempo stringe – per festeggiare il compleanno dell'imperatrice Elisabetta, la moglie del *padrone*, nel palazzo della Favorita, con le musiche del Caldara – quella vecchia e prolifica volpe di compositore della vecchia scuola. Licida, dunque, e Megacle. Ateniese l'uno, cretese l'altro, entrambi giovani e nobili come devono essere gli eroi di queste vicende, legati dal sacro vincolo dell'amicizia ma innamorati della stessa donna, che l'uno è costretto a cedere all'altro... come ne usciranno? Certo, la gente si commuove facilmente quando va allo spettacolo: le parole, la melodia, le scene dipinte... Ma io, io che dovrei limitarmi a tenere fra le dita i fili, invisibili e tenaci, della finzione? Come posso cascarci? La mia, evidentemente, è una natura bifida, siamese: uno che abbindola e un altro che ci casca, rinchiusi nella stessa persona come due gatti in un sacco. Prodigio che nemmeno il sommo Aristotele ha preso nella dovuta considerazione. In qualche oscura maniera, il mio delirio si nutre del suo contrario, ovvero della consapevolezza che, scrivendo, do vita a eventi irreali, privi di conseguenze. Un labirinto di equivoci e contrattempi. Ma un labirinto di siepi di bosso, con fontanelle e panchine: altro che Minotauro. Più giardinaggio che mitologia, ad essere onesti. Quello che conta è inventare un bel pasticcio, ritardare tutte le soddisfazioni. Peripezie di amanti, capricci della sorte. C'è uno schema di base suscettibile di infinite variazioni, come un gioco di carte, un castello dei destini obbligati: sei personaggi importanti, tra i quali una coppia principale di innamorati e altri due innamorati secondari, per così dire, più due personaggi maschili, potenti sovrani o sommi sacerdoti: uno favorevole alla felicità degli amanti e l'altro malvagio. Una storia dura finché qualche accidente ritarda un desiderio; finché qualcuno si ostina a non essere quello che sembra; finché chi si è perduto continua a cercarsi. La costruzione dell'intrigo: l'Inverosimile eretto a Provvidenza. Ma sono io il problema, io che cado nella buca che ho appena scavato, e se invento una qualunque traversia, una situazione negativa necessaria all'andamento della storia, ecco che questa ingiustizia subìta dall'innocente, questa forzata separazione di cuori innamorati, questo equivoco foriero di disgrazie che ho appena escogitato a mente fredda mi fa piangere, o mi sdegna.

Puškin: «verserò lacrime sulle mie fantasie». Come è possibile questo imbroglio? Che uomo è colui che sa e si comporta come se non sapesse, che architetta un inganno e *nello stesso tempo* inganna se stesso?

Il sonetto di Metastasio, indubbiamente, ha un aspetto un po' antiquato. Emana un lieve sentore di cipria, di smalto, di legno dorato, di scartoffie ammuffite. Di polvere: l'impalpabile e irritante polvere dei classici. Con tutta la sua meccanica artificiosa di gingillo in rima, però, esprime un atto umano del tutto spontaneo e gratuito: un estrarsi da se stessi, dalla guaina delle proprie faccende, per osservarsi dal di fuori. Come quando uno specchio, o un riflesso casuale su un vetro, ci rimandano un'immagine improvvisa, nello stesso tempo estranea e familiare, di noi stessi. Impegnato nella stesura del più famoso dei suoi drammi, l'infaticabile Metastasio si è concesso una breve pausa – giusto il tempo, per lui insignificante, di buttare giù qualche verso. Come qualcuno capace di spiarsi, come se fosse nascosto dietro una delle tende di velluto del suo studio, si osserva mentre scrive. Vede un uomo che tesse una trama, una leggera illusione che ha la stessa consistenza di un sogno, di una favola. E nello stesso tempo vede un pazzo che ci casca, che piange e si sdegna dei dolori che patiscono i personaggi che lui stesso ha inventato. Guardarsi da fuori è un atto salutare, una terapia istantanea di grande efficacia. Perché noi trascorriamo la nostra vita credendo fermamente di essere un certo tipo di persona, di fare effettivamente quello che facciamo, di essere preoccupati per le cose che ci preoccupano. Badiamo esclusivamente alla nostra *manutenzione* e al nostro *funzionamento*, manco fossimo una caldaia. E come potremmo fare diversamente? L'alveare sociale ci assegna dei compiti, e la tonificante paura di non farcela. Mettersi addirittura il bastone fra le ruote sembra un lusso inutile, un assurdo spreco di energie. E così aderiamo alla parte che ci è stata assegnata e finiamo per crederci. Ma se afferriamo al volo, come fa Metastasio nella sua poesia, l'occasione fuggitiva di considerarci come se fossimo un altro, scopriamo qualcosa di buffo ed approssimativo e irrimediabilmente incomprensibile.

Dopo un po' che osservi la statua di Metastasio, condannata per sempre a impugnare carta e penna, è la perfetta coincidenza dell'eternità e dell'irrilevanza che ti si mostra in modo palese, non c'è niente di più privo di rilievo di ciò che è immortale, niente di più anonimo di un monumento che pure dovrebbe distinguere un uomo dagli altri, un famoso poeta da una folla indistinta di scribacchini, o un animo coraggioso da una massa di vigliacchi. Procediamo nella vita come se dovessimo ad ogni occasione imparare che ogni identità è una maschera, e dietro questa apparente infinità di maschere c'è un vuoto uniforme, uno smarrimento universale, nessuno si orienta, nessuno se la cava veramente. Con la sua meditata armonia di linee rette e curve, alle spalle della statua del poeta incombe la mole della facciata della Chiesa Nuova. Da una porta laterale, l'unica aperta, si intravede una luce ambrata all'interno, che dà una sensazione di calore, come se fosse l'apertura di un enorme forno acceso. È una promessa di intimità, di benessere. Ma per quanto uno possa essere preparato, e magari abituato fin dall'infanzia allo stile sontuoso e minuzioso, all'incredibile saturazione ornamentale dello spazio nelle chiese barocche romane, è pur sempre uno shock varcarne la soglia, soprattutto lasciandosi alle spalle l'oscurità quasi priva di forme di una sera d'inverno. Come fare un'esperienza effettiva, per niente simbolica o metaforica, dell'aldilà: ogni minuscolo frammento di identità che va in frantumi, che diventa un colore, un riflesso, un barbaglio. Anche se le guide turistiche scritte in tutte le lingue del mondo suggeriscono di visitare ad ogni costo la Chiesa Nuova, in questo tardo pomeriggio d'inverno non c'è quasi nessuno, a parte un gruppetto di francesi con la testa piegata verso l'alto che osservano l'enorme e vertiginoso affresco sul soffitto ascoltando una voce registrata da una cuffia che distribuiscono all'entrata. La loro posizione, la direzione del loro sguardo e il contegno rispettoso fanno pensare a dei collaboratori diretti di Dio, venuti in quel luogo a prendere ordini impartiti in francese (in quale altra lingua dovrebbe mai parlare Dio?), ordini da memorizzare ed eseguire con il massimo di scrupolo e di precisione possibili. Non deve mancare molto all'ora della chiusura. Cammino lungo la navata centrale fino all'altare maggiore per guardare da vicino la Madonna della Vallicella di Rubens, circondata da corone di angeli e cherubini che si allargano verso la cornice in cerchi concentrici, onde di carne e di luce. Per evitare i fastidiosi riflessi causati dall'architettura della chiesa, Rubens dipinse sia questa pala che i gruppi di santi a destra e sinistra su grandi lastre d'ardesia. Era giovane e ambizioso, e ci teneva a lasciare in questa chiesa un ricordo del suo genio, prima di andarsene da Roma. Solo per la Madonna, che tiene in braccio il Bambino, seduto nel grembo materno come su un trono, la piccola mano sollevata a benedire i fedeli, Rubens usò una lastra di rame di forma ovale, più leggera dell'ardesia. In tale modo, grazie a un ingegnoso sistema di corde e contrappesi, abbastanza simile a una macchina teatrale, la parte centrale dell'opera può scorrere via e fare apparire al suo posto, nell'ovale rimasto vuoto, un'immagine del tutto equivalente a quella di Rubens, ma dipinta molti secoli prima. È il frammento di un affresco del Trecento, proveniente da una specie di bagno pubblico («stufa» lo chiamavano) che si trovava da queste parti molto prima che venisse costruita la Chiesa Nuova. I seguaci di san Filippo Neri finirono per metterla sull'altare maggiore non per il suo valore artistico, ma perché era considerata un'immagine miracolosa, che aveva a lungo sangui-

54

nato una volta che un sacrilego l'aveva colpita con un sasso. La sovrapposizione delle due immagini, e la possibilità di azionare un meccanismo che fa apparire la più antica dove poco prima si trovava quella più recente fa di quest'opera uno dei più impressionanti prodigi di Roma. La Madonna di Rubens è una ragazza florida, attraente, dotata di un'innata eleganza. Con una mano stringe a sé il figlio per proteggerlo e con l'altra sembra indicarlo con la discrezione di una dama d'alto rango alla quale si addice un contegno impeccabile anche quando manifesta un legittimo orgoglio materno. Rubens riproduce esattamente lo schema figurativo e le proporzioni del vecchio affresco sottostante, ma lo svuota di tutti i suoi significati, che per secoli avevano reso quell'immagine naturale – nient'altro che una madre che tiene in braccio un bambino – un veicolo potente di significati mistici assoluti, originari. Non era stato forse san Luca, l'apostolo pittore, che secondo una tradizione anche lei molto antica, aveva inventato quell'icona così venerabile, eseguendone il prototipo? La Vergine Odigitria: colei che indica la strada. Il simbolo dice la verità, ogni atto di generazione equivale all'apertura di una strada, un figlio è una direzione e il futuro è il tempo necessario a percorrerla. L'ultima volta che ho visto il prodigio, l'ovale di rame dipinto da Rubens che scivola via scoprendo l'affresco medievale, è stato alla fine del funerale di Arturo, una mattina tiepida e soleggiata del marzo del 1999. La parola «funerale» forse è inesatta perché il corpo di Arturo non è mai tornato a Roma, è stato seppellito in un piccolo cimitero dalle parti di Agrigento, a Montaperto, e riposa sotto un piccola croce bianca, identica a tante altre lì intorno,

ARTURO PATTEN
FOTOGRAFO

c'è scritto, nato nel 1939, morto nel 1999 e nient'altro, come si addice a un vero saggio perché questa è la vita umana, un nome e un lavoro incorniciati da due date, è questo che si prende la morte, a ben vedere che ci piombi addosso come e quando ha deciso il fato o che sia volontaria come quella di Arturo, che si è impiccato nel bagno di un piccolo albergo siciliano, non fa una grande differenza – c'è sempre poco da dire su ciascuno di noi, poco da ricordare, poco da incidere su un marmo bianco. La Chiesa Nuova era piena quella mattina, e tutta la gente che ascoltava la cerimonia non era che una minima parte della totalità delle persone di Roma delle quali Arturo, nel corso del tempo, si era conquistato l'amicizia, o l'amore, o l'intimità sessuale, o la stima artistica. Era una folla composita, un mosaico di caratteri e tipi umani dai quali sarebbe stato impossibile dedurre chi era la persona che veniva salutata per l'ultima volta. Esattamente come accadeva a casa sua, le sere in cui invitava persone così estranee fra di loro, pescate in acque così disparate, che se non avessero conosciuto Arturo mai si sarebbero trovate sotto lo stesso tetto. C'era un prete intelligente a dire quella messa, forse anche lui era amico di Arturo, o forse si era informato per svolgere bene il suo compito cerimoniale. Non si sa mai cosa aspettarsi dai sacerdoti cattolici, puoi pescare dal mazzo la canaglia ignorante e spietata, oppure il semplice imbecille, ma anche lo spirito lungimirante, capace di soccorrere e consolare il prossimo, privo di qualunque atteggiamento di superiorità, e questo era il caso di quel prete che aveva l'aria di conoscere bene i fatti del morto – che era omosessuale, che era malato di AIDS, che a un certo punto, pochi mesi prima di arrivare ai sessant'anni, aveva deciso di mollare la partita, proprio nel bel mezzo di un lavoro da cui stava ricavando molte gratificazioni, il suo ultimo lavoro, quella serie di *ritratti di siciliani* nei quali forse era riuscito a distillare l'essenza più pura della sua arte. Non che il prete parlasse esplicitamente di questi fatti, ma insomma, non so bene come era chiaro che li conosceva e li rispettava per quello che erano – elementi della vita di un uomo che in fin dei conti non ricompongono mai una totalità quando questa va in pezzi, la morte crea immediatamente una memoria incompleta, la persona morta è come il frammento di una statua antica a cui mancano la testa o entrambe le braccia. Fatto che basta da solo a rendere superfluo ogni giudizio. Non avevo molto seguito i riti e le parole della cerimonia, assorbito dal pensiero delle ultime ore di Arturo in quel luogo di passaggio, un bed & breakfast di San Leone, il borgo marinaro di Agrigento, molto affollato d'estate quando la gente frequenta le spiagge e i locali del porto turistico, ma sicuramente semivuoto e silenzioso all'inizio di marzo. Con tutto il suo amore per la Sicilia, che negli ultimi tempi aveva scalzato dal suo cuore addirittura Roma, quel posto non doveva essergli per niente familiare, quando mi avevano raccontato come e dove si era ucciso più che per tutto il resto avevo provato pena per quell'isolamento, per quell'atmosfera di estraneità, per lo spartano anonimato di un albergo economico – avevo pensato a un vecchio gatto che se ne va a morire in fondo al giardino, al riparo da occhi indiscreti, lontano dai suoi posti preferiti, dove ha dormito e si è leccato le zampe e si è sentito protetto. Ma che importa? Chi si uccide di fatto si spoglia di tutto il passato, se lo lascia cadere di dosso riducendolo a qualcosa di molto simile a un mucchio informe di vestiti spiegazzati, non ci deve più essere tanta differenza tra il familiare e l'estraneo. Procedendo nella nudità definitiva che è il proposito di farla finita, il suicida di fatto accede a quel particolare livello di consapevolezza del mondo in cui non ci sono più differenze qualitative tra i luoghi, tutto si riduce ad essere *lo stesso posto*, una superficie uniforme, un piano inclinato che non offre il minimo appiglio, neanche alla più elementare distinzione tra il dentro e il fuori o il confortevole e l'ostile o l'estraneo e il familiare. A questi pensieri mi stavo abbandonando quella mattina di marzo seduto a un banco della Chiesa Nuova quando il prete, avviandosi alla conclusione, ci spiegò che aveva pensato a un omaggio particolare ad Arturo, che aveva dedicato – così disse all'incirca – tutte le sue migliori energie vitali alla ricerca della bellezza, ricavandone il significato più profondo e inalienabile del suo cammino su questa terra. Ci pregò di fare silenzio e ci indicò la Madonna di Rubens alle sue spalle, come fosse un prestigiatore pronto ad eseguire il pezzo forte del suo spettacolo. Poi, premendo il tasto di un telecomando, azionò il delicato meccanismo segreto, e l'ovale di rame iniziò lentamente a scendere in basso, scoprendo l'antica immagine. Quella che ci apparve in quel momento non era semplicemente la versione più antica di uno stesso tema del repertorio figurativo cristiano. Le due opere, quella che si era eclissata come un astro sceso sotto la linea dell'orizzonte e quella che ora appariva, appartenevano a due ordini diversi della realtà. Non era una questione di stile, il confronto non suggeriva di apprezzare l'una o l'altra. Dal punto di vista dell'«arte» non c'è partita, quella di Rubens è un'opera perfetta, delicata, armoniosa. L'anonimo pittore medievale, invece, era rozzo e ingenuo, procedeva per convenzioni. Ma con tutta la sua spigolosa mediocrità – forse proprio grazie a quella – era figlio di una civiltà in cui l'immagine non era ancora, come per noi, solo un sostituto, un equivalente, un'evocazione, una copia di una certa cosa. Era tutte queste cose ordinarie, ovviamente, ma era anche una presenza reale, e proprio in questo consisteva la sua natura miracolosa – la sua capacità, all'occorrenza, di sanguinare, o di parlare, di proteggere da una sciagura, di porre riparo a un'ingiustizia[2]. E quella mattina di marzo, seduto fra amici, amiche, vecchi amori, vicini di casa di Arturo, provai in maniera netta e indiscutibile la certezza che l'Odigitria, colei che indica la strada, fosse lì per salutarlo, come qualcuno che lo conosceva bene, che lo aveva compreso e distinto nella sua singolarità di creatura sensibile e irrequieta, di vagabondo del Dharma, di spirito esploratore. Come ogni volta che la vita ci rivela un qualche tipo di significato profondo e vitale, evidente seppure inafferrabile, ero commosso e sbalordito. Pochi mesi prima che morisse, non era passato nemmeno un anno, era di fronte a un'immagine della Madre e del Figlio che Arturo mi aveva spinto, con tutta la forza della sua dolce prepotenza. A lungo mi aveva parlato di quello che significava per lui, e come questo significato rappresentasse la sua meta finale, la quintessenza, il limite estremo di quello che gli era stato possibile capire – un pensiero potente, un'intuizione che si allungava come un promontorio nel mare dell'indicibile.

2 Vedi appendice 2.

...del mal che inventai, piango, e mi sdegno...

Tutto sommato, Metastasio si meraviglia dell'acqua calda. Non è certo il primo o l'unico a registrare questo effetto collaterale dell'intensità creativa. Ogni finzione efficace tende a produrre un credibile surrogato di realtà, a far dimenticare le sue origini equivoche, fantastiche, a mimetizzarsi tra le-cose-come-sono. Superato un certo confine psicologico, la finzione diventa indipendente dalla volontà di chi la finge. È la vecchia storia del Golem, di Frankenstein. Dei sogni: non possiamo che essere noi a sognarli, nessuno al mondo potrebbe sognare il nostro stesso sogno, eppure ci stiamo dentro come se le cose non dipendessero più da noi. *Sogni e favole.* Come se filassero nei secoli un'identica tela di pazzia i veri allucinati, i maestri fingitori, si lasciano sfuggire confidenze quasi identiche. Il 12 novembre del 1912 Kafka scrive a Felice Bauer di essere incapace di piangere. Anche il pianto degli altri gli sembra qualcosa di estraneo e incomprensibile. Ma pochi mesi prima si è verificata un'eccezione. Era notte fonda e singhiozzava in maniera così irrefrenabile, sussultando sulla poltrona, che aveva paura di svegliare i genitori. La causa? «*Un passo del mio romanzo*». Come se i fogli sulla scrivania, gremiti dei segni inconfondibili della scrittura minuta e puntuta di Kafka, avessero preso possesso dello spazio e del tempo, saturando la sua stanza e la notte di quell'altra realtà, la realtà irreale che adesso, nel cuore della notte, nell'ora dei sogni tormentosi che trasformano gli uomini in insetti, lo circonda e lo immobilizza sulla poltrona costringendolo a fare quella cosa che non fa mai, piangere – «*e del mal che inventai, piango...*» – spremendogli infine tutte quelle lacrime che di solito è incapace di versare, mentre i genitori, appena oltre il sottile diaframma della parete, dormono il loro sonno fragile e sospettoso.

A un critico di cui nutriva una certa stima, Henry James confidò qualcosa di molto simile. Mentre dettava *Il giro di vite*, nell'autunno del 1897, si era reso conto che la lunghezza del racconto cresceva oltre ogni aspettativa. Era partito con l'intenzione di comporre qualcosa di abbastanza facile, un buon pezzo da rivista, un intrattenimento natalizio. Non era, del resto, un momento propizio: si sentiva frustrato nelle sue ambizioni artistiche, poco letto, per niente apprezzato come autore di teatro. Ma si sa che le intenzioni e l'umore non contano nulla in queste faccende. Parola dopo parola, si era reso conto di aver toccato un nervo vivo, una fonte inesauribile di angoscia e meraviglia. Quello che dettava al signor McAlpine, l'impassibile dattilografo, era probabilmente il più terrificante racconto di fantasmi di tutti i tempi. C'era rimasto male perché quel tipo continuava imperterrito a battere sui tasti senza mostrare il minimo segno di spavento. Come era possibile? Il flemmatico scozzese finì per dargli sui nervi. Quanto a lui, la storia lo aveva impaurito come un bambino. Quei due turpi e oltraggiosi spettri, Peter Quint e l'equivoca Miss Jessel, ancora più mostruosa del suo compagno, erano rimasti lì, a infestare la casa del loro inventore. Quando arrivò il momento di correggere le bozze, James fu costretto a tenere tutta la notte una luce accesa sul comodino.

«Verserò lacrime sulle *mie* fantasie». «Un passo del *mio* romanzo».

In quella che sarebbe diventata la più famosa delle sue poesie, l'*Autopsicografia* composta il primo aprile del 1931, Fernando Pessoa sembra annodare tutti insieme i fili di Metastasio e Puskin, James e Kafka, per tessere un ornamento mentale di vertiginosa e illuminante complicazione. Ancora una volta, per arrivare fino in fondo all'enigma, è il nervo del *fingere* che va sollecitato. Ebbene, il poeta è il fingitore assoluto, colui che finge in maniera così completa

> che arriva a fingere che è dolore
> il dolore che davvero sente.

Ecco cosa fa Kafka, mentre soffoca i singhiozzi sulla sua poltrona; ecco cosa fa Metastasio che piange sulle sventure dei suoi pupazzi canori. Questo sdoppiamento è fondamentale. Perché solo nel momento in cui il dolore reale è anche una finzione di dolore, la psicologia produce un'effetto estetico – bellezza, persuasione. A differenza dei suoi predecessori, Pessoa mette in campo un elemento decisivo, senza il quale ogni spiegazione del fenomeno risulterebbe fatalmente monca, disonesta. Il poeta infatti, per essere tale, non è solo. A distinguerlo dal pazzo ci sono coloro che «leggono ciò che scrive». E dunque esiste un terzo dolore, il «dolore letto». Che non è più quello che il poeta «davvero sente», e nemmeno quell'altro, che il poeta

> arriva a fingere che è dolore

ma, appunto, il risultato dell'uno e dell'altro, «dolore letto» come il risultato di una lenta e laboriosa distillazione – vera alchimia.

> E quanti leggono ciò che scrive
> nel dolore letto sentono bene

non i due che egli sentì
ma solo quello che non gli appartiene.

Certo, ha ragione Pessoa, l'ultimo dolore non gli appartiene più.
Nessuno può sapere cosa diventa ciò che scrive nella testa di un
lettore. Ma se seguiamo a ritroso il ragionamento, come lo stesso
Pessoa sembra esigere col suo gioco di specchi, dobbiamo anche
ammettere che questo dolore che non appartiene al poeta, che
è pure l'unico che si può leggere, che dunque rende possibile la
poesia stessa, che esiste solo nella misura in cui c'è qualcuno che
la legge, ha origine nel suo contrario, nell'oscurità indicibile del
«davvero», e germina nel bozzolo della finzione come un seme
sotto la neve.

E così sui binari in tondo
gira, per intrattenere la ragione,
questo trenino a molla
che si chiama il cuore.

Ci sono caratteri che sembrano impegnati, più che in ogni altra cosa, ad assomigliare il più possibile a se stessi, a non uscire dal solco stabilito una volta per tutte. Il timido, prudente, tenace Metastasio apparteneva a questa inquietante razza di uomini privi di evoluzione. Sarà pure un caso, ma possiede almeno un certo valore simbolico il fatto che tutte e tre le donne che hanno contato qualcosa per lui si chiamassero Marianna. Dal punto di vista dell'interesse umano, la lettura del suo enorme epistolario è un'impresa del tutto scoraggiante. Prendete una sua lettera scritta a vent'anni, e un'altra a settanta, ed è la stessa identica persona che vi trovate davanti: cortese con tutti, deferente con la gente d'alto rango, affettuoso al punto giusto con gli amici. Mai una parola di più, mai una parola di meno. Ne ricaviamo l'impressione – tutto sommato non sgradevole – di qualcuno che mette limiti ovunque, dalle idee politiche agli affetti, fin troppo impegnato com'è a tenere viva la fiammella vacillante del talento – la sua unica reale preoccupazione. Se potesse, vivrebbe sott'olio, perseverando nelle sue abitudini come un automa. L'unico lusso psicologico che si concede, fino all'estrema vecchiaia, è l'ipocondria. Palpitazioni, capogiri, disordini intestinali. Ma si vede benissimo che sono tutte cose che padroneggia, legate a certe stagioni dell'anno, a certi motivi abbastanza prevedibili.

Tutta qui la vita di un poeta, di un grande poeta? Batticuori e cacarelle? Si capisce bene che i temperamenti romantici, a un certo punto, abbiano fatto di questo campione dell'autoconservazione un facile bersaglio. Con l'eccezione di Leopardi, che era troppo intelligente per fare della morale con la vita degli altri, ciò che i posteri esecrano in Metastasio è la mancanza di piglio, di sofferenza, di nobili colpi di testa. Nell'immagine ideale del letterato italiano, così come viene concepita e tramandata dai professori dell'Ottocento, l'ottusità e il cattivo gusto, dovendo scegliere, sono preferibili alla tranquillità d'animo, all'arte di sopravvivere. Nemmeno la tenacia nel lavoro, se non si accompagna a virtù più rumorose, viene apprezzata più di tanto. Così, dalle memorie di Alfieri ai manuali scolastici ancora in circolazione, è tutto un puntare il dito, uno scuotere la testa. Perché non soffriva? Perché si riteneva addirittura fortunato a vivere come viveva? Che cavolo di poeta era? Che avversità, che scalogne poteva vantare? Quali amori disperati? Il maggiore capo d'accusa, come si può immaginare, è il mestiere di cortigiano: al servizio di gente, bisogna ammettere, che metteva il poeta appena sopra i nani e i barboncini. Che Metastasio venerasse sinceramente la famiglia imperiale è indiscutibile. I *padroni* hanno il potere di suscitare in quell'animo tiepido e accorto scintille di autentico misticismo servile. Si commuove di ogni regalo, di ogni cenno benevolo, quasi sviene di tenerezza se le arciduchesse (le *padroncine*) lo pregano di sedersi durante la lezione di canto. Ora, è facile storcere il naso se non vieni da via dei Cappellari. Come fa Vittorio Alfieri che va a spiare Metastasio nei giardini di Schönbrunn, nel 1769, e lo trova impegnato nella «genuflessioncella d'uso» a Maria Teresa. Farcito come un tacchino della sua plutarchesca superiorità morale, Alfieri annota, con la penna fremente di sdegno, che la faccia di Metastasio è «lieta e adulatoria». Che faccia doveva avere? Non gli passa nemmeno per la testa, ad Alfieri, che l'ormai vecchio Metastasio sia felicissimo di incontrare l'imperatrice, che conosce fin da quando era bambina, in un viale dello splendido parco, e di costringere le sue ossa acciaccate a produrre la migliore riverenza possibile. Anche lei avanti negli anni, Maria Teresa avrà apprezzato lo sforzo, e lo avrà ricambiato con un complimento in italiano, con un ricordo dei vecchi tempi. Alfieri è così incapace di apprezzare la delicata poesia di quell'attimo che, nella seconda redazione della *Vita*, da vero *indignado*, rincara la dose. La faccia «lieta e adulatoria» del poeta diventa «*servilmente* lieta e adulatoria», nel caso qualcuno stentasse a provare un giusto orrore, un nobile fremito tirannicida. È così, a forza di avverbi colmi di riprovazione infilati nelle seconde redazioni, che la storia della letteratura italiana, uno degli argomenti più buffi e maliziosi della cultura umana, è diventata una specie di castigo, un discorso da presidi, un comizio. *Servilmente!* Ma che cazzo ne sai! Solo in apparenza, la critica di Alfieri ha un contenuto politico. Se la carrozza di Maria Teresa si fosse fermata davanti a lui, per inciso, voglio vedere se non si produceva all'istante, il famoso tirannicida, in un bell'inchino, profondo come si addiceva al caso. Si sa che gli italiani hanno occhi solo per gli inchini degli altri, ma in realtà quella che Alfieri non sopporta è la vista di un uomo sereno, realizzato. Non a caso, è uno che scrive tragedie. Molto più di Maria Teresa, è l'assenza di ferite inguaribili, di dolori innominabili e immedicabili a ledere l'idea del genio che dovrebbe crescere pascendosi delle sue stesse sofferenze. È una tiritera che si prolunga identica nel tempo. Apriamo la *Storia della letteratura italiana* di Francesco De Sanctis, e consideriamo questa velenosa, risentita sintesi. «La sua [di Metastasio] vita fu un idillio, e se questo è felicità, visse felicissimo fino alla tarda età di ottantaquattro anni». *Se questo è felicità!* Il critico sembra quasi tradire un moto di incontenibile invidia. Come quando in famiglia si parla dello zio scapolo, del gaudente, del puttaniere che non si è arreso ai doveri della vita, ostentando un po' di commiserazione... cosa si è perso! morirà solo e triste! non è mai voluto crescere! E invece quello, come se niente fosse, campa benissimo fino a novant'anni, *se questo è felicità* – e perché mai non dovrebbe esserlo? Non gli va giù, al De Sanctis, che una persona possa cavarsela come Metastasio: come se lo facesse alle spalle degli altri, come se rubasse qualcosa a qualcuno. Sentite il referto conclusivo sul carattere di quest'uomo così nocivo alla morale eroica auspicabile quando si parla di scrittori. «Brav'uomo, buon cristiano, nel suo mondo interiore ci erano tutte le virtù, ma in quel modo tradizionale e abituale ch'era possibile allora, senza fede, senza energia, senza elevatezza d'animo, perciò senza musica e senza poesia». E si capisce: dove un *brav'uomo* conduce una vita lunga e operosa, tutto contento di salutare con un inchino l'imperatrice, se gli capita la fortuna di incontrarla durante una passeggiata in giardino, la musica e la poesia che ci starebbero a fare? Si rifugiassero in casa di qualche infelice praticante dell'«elevatezza d'animo», di qualche cultore del *sentimento tragico della vita*, di qualche indomabile uccello del malaugurio!

Il tipo di persona che poteva apprezzare la compagnia di Metastasio, lo si può capire bene, è l'esatto contrario del professore di letteratura e del poeta tragico – questi eterni, seriosi alleati[3]. Al contrario, non stupisce affatto che quel sottile collezionista di casi umani, quel meraviglioso e fatuo pettegolo che era Giacomo Casanova, di passaggio a Vienna nel 1753, si sia precipitato a casa di Metastasio con una lettera di raccomandazione – la città, d'altra parte, gli offriva pochissime attrattive sessuali. Viene ricevuto molto cortesemente, e la visita alla celebrità (a quei tempi un uomo di cinquantacinque anni) si trasforma in una specie di intervista confidenziale, come se ne leggono tante anche oggi sui giornali. Ciò che rende questa pagina delle *Memorie* molto degna di attenzione è il fatto che Casanova, che scrive in francese, riporta in italiano le battute di Metastasio, creando un effetto di verità notevole, proprio come se ascoltassimo, leggendo, una registrazione. Rassicurato sulle buone intenzioni del visitatore, il padrone di casa, sempre modesto e guardingo, si lascia un po' andare. E venti anni esatti dopo aver scritto il sonetto sui sogni

---

3 Vedi appendice 3.

e le favole, eccolo commuoversi di nuovo, dopo aver recitato a Casanova qualche sua poesia. È sempre la stessa storia. «Verserò lacrime sulle mie fantasie». Scrive Casanova che, «per la dolcezza dei suoi propri versi», gli occhi del poeta si inumidiscono all'istante. E poi, con la voce tremante, non sa trattenersi dal chiedere all'ospite: «*Ditemi il vero, si può dir meglio?*».

È tutto un versare lacrime. Nelle sue stupende *Lettere su Metastasio*, Stendhal racconta di una rappresentazione romana dell'*Artaserse*, al Teatro Valle, con le musiche del Bertoni e il grande, «inimitabile» Pacchiarotti nel ruolo del protagonista. Dopo la famosa scena del giudizio («eppur sono innocente») il compositore aveva previsto un brano strumentale. Ma la bellezza della situazione drammatica, la musica, l'espressione del cantante avevano talmente rapito i musicisti, che in sala piomba il silenzio. Spazientito e imbarazzato, Pacchiarotti si rivolge al direttore d'orchestra. «Ebbene, che fate?». E il direttore: «Piangiamo».

***

Sogni, e favole io fingo...

Una poesia veramente memorabile, come sicuramente è il sonetto di Metastasio, lo è nel senso pieno e originario della parola, perché in effetti andrebbe imparata a memoria, e custodita nella mente come un'efficace formula di scongiuro, una sintesi magica della vita. Di una certa poesia si può anche tentare un'analisi razionale, dissezionandola parola per parola, sottoponendola a un ogni tipo di indagine. Ma non è certo smontando un orologio che afferriamo il segreto del tempo. Personalmente, ciò che mi ha sempre convinto nella grande poesia è la capacità di passare da un piano all'altro dell'esistenza, dal questo al quello per così dire, dall'aspetto personale e particolare a quello universale della vita. Spesso la poesia viene in soccorso alla nostra debolezza e alla nostra infelicità, non perché abbia qualcosa di buono da consigliarci – nessuno ci può consigliare nulla – ma proprio perché il nostro spirito, timoroso e anchilosato, è incapace di riconoscere la parte nel tutto e il tutto nella parte. Questo per dire che Metastasio, nel nostro sonetto, si comporta da vero poeta, capace di allargare all'improvviso l'orizzonte. Era partito da una specie di innocua stortura del carattere, di mania professionale – l'inventore che cade nel tranello delle sue stesse invenzioni, commuovendosi e sdegnandosi di ciò che scrive. Ma una volta che iniziamo, fosse pure a partire da un dettaglio abbastanza insignificante, a meditare su ciò che è finto e ciò che è vero, e soprattutto su di noi, messi lì dalla sorte a distinguere l'uno dall'altro, e sempre incerti di tutto, incapaci di procedere in nome di qualunque criterio attendibile, vittime croniche di ogni forma possibile di illusione... Con tre domande retoriche, alle quali l'unica risposta possibile è no, Metastasio solleva la testa dal foglio pieno dei suoi sogni e delle sue favole, si guarda intorno... ma non trova niente di diverso, di più saldo su cui poggiare i piedi. In ogni piccola nevrosi sta in agguato, a saperla interrogare, un'intera metafisica. Per apprezzare in tutta la sua bellezza questa apertura, non c'è niente di meglio che rileggere il sonetto dall'inizio.

Sogni, e favole io fingo; e pure in carte
mentre favole, e sogni orno, e disegno,
in lor, folle ch'io son, prendo tal parte,
che del mal che inventai piango, e mi sdegno.

Ma forse, allor che non m'inganna l'arte,
più saggio io sono? È l'agitato ingegno
forse allor più tranquillo? O forse parte
da più salda cagion l'amor, lo sdegno?

Posso forse affermare di essere più saggio quando non c'è la scusa degli inganni dell'arte? Godo forse di una serenità maggiore?

C'è una ragione più solida dei miei desideri, delle mie ripulse? No, certo che no. Dove sarebbe mai la pietra di paragone, la certezza del risveglio? Mi guardo intorno, e non vedo che uno spettacolo futile, un atto unico senza capo né coda, un intrattenimento per idioti non molto diverso, nella sostanza, da quelli che imbastisco a pagamento.

GOOD

La solitudine degli esseri umani, mi viene da pensare mentre, tornato all'aperto, continuo a camminare costeggiando il fianco della Chiesa Nuova, la solitudine degli esseri umani è davvero irrimediabile, perché nessuno di noi sa esattamente in che modo un'altra persona, fosse pure la più amata, o la più odiata, percepisce il transito del tempo nel suo corpo e di conseguenza nella sua mente. Tutto quello che sappiamo del nostro prossimo è che un giorno, un mese, un anno, una volta passati non torneranno più indietro, né per lui né per noi. Ma questo non basta a intuire il particolare grado di angoscia che questa consapevolezza comporta nel singolo individuo, se sia costante e tutto sommato ragionevole, oppure sia soggetta a sbalzi, a picchi insopportabili di intensità. Nemmeno la prossimità più romantica, più romanzesca può svelarci il segreto: non sappiamo mai, anche della persona che teniamo tutta la notte tra le nostre braccia, quanto sia consumata dalla paura della morte, o in che maniera sia riuscita a metterla parzialmente a tacere, a smorzarne la fiamma. Ognuno se la deve cavare da solo, le misure dell'oscurità che lo circonda sono sempre puramente immaginarie e valide solo per lui; c'è questo limite oltre il quale non ha più senso ritenere di comprendere o di essere compresi. Ed è per questo motivo, io credo, che il ritratto, tra tutte le arti umane, ancora più della musica, è la più filosofica, ovvero la più ostinata nella ricerca della verità. Ma quella del ritratto è una filosofia zoppa, che procede a tentoni, priva delle stampelle dell'universale. È un pensiero in agguato, che attende l'occasione buona nelle circostanze più avverse. Allo scoraggiante sorriso leonardesco delle apparenze, oppone l'estrema e disperata risorsa dell'intuito. Ho sempre pensato alla decisione di Arturo di consacrarsi integralmente al ritratto fotografico, a scapito di tutte le sue altre aspirazioni, come a una forma di conversione. Lo immagino piegato sul mirino della sua Hasselblad (che oggi appartiene a un grande maestro, Antonio Biasiucci) come qualcuno che ha trovato il modo di concentrare le forze disperse del suo carattere in un solo, efficace nodo di energie. Probabilmente, come suggerisce la voce su Arturo di Wikipedia, tra le innumerevoli esperienze accumulate da giovane contò qualcosa anche l'aver lavorato come assistente di George Fite Waters, che era stato a sua volta allievo nientemeno che di Rodin – l'opera più celebre di questo scultore americano è la statua in bronzo di Abraham Lincoln che si trova a Portland, nell'Oregon. Per tutta la vita, fino all'ultima fase dei ritratti siciliani, Arturo aveva continuato a studiare i maestri. Me lo vedo ancora, nel salotto di casa sua, che sfoglia avidamente un grosso volume su Pontormo curato da un nostro grande amico, Silvano Nigro, alla ricerca del *Ritratto di musicista* degli Uffizi, che mi aveva fatto vedere già non so quante volte. Accarezzava l'immagine, seguiva col dito il contorno delle due zone luminose che fanno emergere dall'oscurità una parte del volto e la mano poggiata sullo spartito («lui vive nel silenzio, lo vedi? He needs that. Tutta la musica è dentro lui... come la luce in lampada!»). Quello che Arturo cercava di rappresentare in un ritratto, o apprezzava in un maestro, era l'individuo in senso assoluto, quella porzione irriducibile di vita concreta che si sottrae ad ogni forma di genericità, che vale solo per chi la vive, e che fa di ogni essere umano il primo e l'ultimo della sua specie, senza colleghi, senza fratelli, senza nessuno dietro cui ripararsi al momento decisivo, quello in cui tutte le regole si dissolvono nell'eccezione che sei tu, solo tu. La forma particolare di saggezza che attribuiva a un buon ritratto era la stessa che aveva ispirato a Tolstoj la pagina in cui Ivan Il'ič ragiona sull'abissale differenza tra imparare a scuola che tutti gli uomini sono mortali e capire che, in quel dato momento, a tirare le cuoia è proprio lui, e non c'è più niente come «tutti gli uomini» che lo possa riparare o consolare. Arturo lo aveva compreso benissimo: Ivan o il musicista di Pontormo sono l'arte, intesa come realtà assoluta, pienezza di esistenza irraggiungibile da tutto ciò che è collettivo, che appartiene a tutti. Proprio per questo esistono gli scrittori, i pittori, i fotografi: perché a Ivan, che tutti gli uomini sono mortali, *non importa più niente*, alle prese com'è con la consapevolezza che *tocca a lui* essere un mortale. È verosimile che questa condizione di unicità, ogni volta che la sperimentiamo fino in fondo, comporti grandi dosi di paura e dolore, ma in certi casi anche di felicità assoluta. In ogni caso, si tratta di una vertiginosa regressione. Un bambino viene al mondo e piange disperato, tutto quello che sa è che ha fame, che prova disagio, poi comincia a provare piacere, ma è sempre e solo *lui*, non lo soccorre l'idea di essere un «bambino», un «neonato». Poi veniamo addomesticati, e la maggior parte della nostra vita la passiamo al riparo di qualche forma di universalità, è ovvio e necessario che sia così, ci insegnano a essere maschi, a essere femmine, a far parte dell'«umanità» e tante altre cose a seconda dei tempi e delle necessità, la nostra tribù, la nostra razza, la cittadinanza. Non potremmo portare a lungo il peso del mondo sulle nostre spalle perché ci stritolerebbe all'istante, solo la collettività genera dei significati che pur essendo privi di un reale fondamento permettono la sopravvivenza materiale e spirituale. È altrettanto vero che in qualsiasi momento i nostri lineamenti possono rivelare la verità a chi ci guarda, perché noi scivoliamo continuamente, senza accorgercene, nella nostra unicità – c'è solo bisogno di qualcuno che stia lì a intercettarla, che ci ami abbastanza da aspettare il momento in cui ogni «mortale» diventa Ivan Il'ič, lui e solo lui, e trovi la maniera per rappresentarci.

Quella del ritrattista è una vocazione innata, precedente a tutte le circostanze imponderabili che possono fare di qualcuno un pittore, un fotografo, uno scrittore, oppure semplicemente una persona capace di cogliere il prossimo nel punto in cui, come se inciampasse su un ostacolo invisibile, si rivela per quello che è – un'irripetibile combinazione di paura e desiderio, istinto e memoria, mortalità e attaccamento alla vita. Quando guardo un ritratto di Arturo, molto più del talento, della sapienza tecnica, dei modelli artistici, riconosco immediatamente la conformazione originaria del suo carattere, la sua umanità – o meglio la sua profonda, esaltante, rischiosa intimità e compromissione con l'umano.

Attraverso l'incrocio con via del Governo Vecchio e procedo imboccando via del Corallo. Un'altra regola fondamentale di queste lunghe camminate è che – a differenza di quello che potrebbe sembrare – la capacità ricettiva è sollecitata dalla stanchezza, dalla voglia di tornarsene a casa, di imbucarsi in un rifugio confortevole, di togliersi le scarpe. Ma continui a trascinarti, i piedi umidi e freddi come stasera, il cuore pesante, la pioggia negli occhi, perché è proprio quando non ce la fai più che effettivamente vedi qualcosa e sei capace di provarne un sentimento, non c'è niente da fare, le riserve di comodità e benessere fisico con le quali sei uscito da casa ti rendono praticamente cieco, servono solo ad essere consumate, e se c'è un vantaggio nell'invecchiare è proprio che sempre più rapidamente *il tuo corpo assomiglia alla tua disperazione*, ed ecco che sei veramente libero, come può essere libera una foglia secca strappata dal ramo, che volteggia rasoterra verso il suo destino. Via del Corallo è deserta e silenziosa come poteva esserlo una sera d'inverno uno o due secoli fa, le porte sbarrate, i lumi fiochi, addirittura un lieve sentore di legna bruciata. Sulla sinistra un'altra targa di marmo, un altro vecchio edificio riscattato dall'anonimato da un'ombra poetica. Lo stile è ben diverso, però, da quella dedicata a Metastasio.

PARIGI 28 MARZO 1930   ROMA 11 FEBBRAIO 1996

E se paesani
Zoppicanti sono questi versi è
Perché siamo pronti per un'altra
Storia di cui sappiamo benissimo
Faremo al dunque a meno, perso
L'istinto per l'istantanea rima
Perché il ritmo t'aveva al dunque
Già occhieggiata da prima

(DA IMPROMPTU 1981)

QUI VISSE GLI ULTIMI VENT'ANNI DELLA SUA VITA
AMELIA ROSSELLI
POETA

Mi piace «poeta» al posto di «poetessa», come pure ci si aspet-
terebbe dopo «Amelia». Perché se uno si chiede qual è l'aspirazione ultima, la fonte di energia a cui attinge l'attività di scrivere
non c'è altra soluzione attendibile, il senso profondo del processo è sempre realizzare il proprio contrario o almeno di procedere in quella direzione, negando tutti i dati di partenza, tirando
fuori il maschio dalla femmina e la femmina dal maschio, così
che la morte, che nella sua arroganza crede di sapere sempre
tutto, penserà almeno per un attimo di essersi sbagliata, che non
era quella la persona che cercava. Quanto a me, ho sempre aspi-
rato a diventare una scrittrice, una laboriosa scrittrice minore, è
quello che vorrei leggere sulla mia targa, e penso volentieri ad
Amelia Rosselli come a un grande poeta, al più grande poeta
dei suoi tempi. Ma il vecchio cameriere – uno di quei romani
vigili e sentenziosi di una volta – che ce la indicò con un cenno del capo, una sera d'estate di trent'anni fa, non sospettava
nemmeno che si potesse definire Amelia Rosselli altrimenti che
una poetessa. Ricordo le sue parole come se le avessi ascoltate

oggi: *quella è una poetessa, un'anima in pena.* Tiravamo tardi a un tavolino della pizzeria proprio davanti a casa sua – un luogo dove gli avventori venivano incoraggiati a istoriare i muri con la loro firma e qualunque altra cosa gli venisse in mente. Un'anima in pena. In nessun luogo come a Roma c'è sempre qualcuno nelle vicinanze pronto a definirti in qualche modo, ad affibbiarti una didascalia. Era stato soprattutto il suggerimento implicito di un legame di necessità a colpirmi: era come se il cameriere dicesse: quella è una poetessa *e dunque* un'anima in pena, non si può essere una cosa senza essere anche l'altra. Nella *poetessa*, ancora più che nel *poeta*, l'identità dell'anima e della pena è così pura ed assoluta che per intuirla non resta che ricorrere a un paragone efficace, come potrebbe essere quello della danzatrice e della danza. *Quella è una poetessa, un'anima in pena.* Mi ero voltato a guardarla, pungolato dalla solennità del cameriere, e l'espressione trita e pressoché insignificante, *un'anima in pena*, aveva preso letteralmente corpo. Lei intanto salutava qualcuno che l'aveva accompagnata fino alla porta di casa. Aveva i capelli tagliati molto corti, di un nero corvino, non so se naturale o già frutto di una tintura. Uno scialle nero le avvolgeva le spalle. Girata la chiave, sparì nel portone. Puoi abitare anni e anni in quelle tetre palazzine del centro senza mai imbatterti in un vicino di casa. Puoi sospettare, senza che nulla ti smentisca mai davvero, di abitare in un condominio di fantasmi.

***

Perché siamo al mondo? Che cazzo significa? Le onde elettromagnetiche, una delle armi preferite dai suoi infaticabili persecutori, i maledetti spioni, le causavano spasmi, insopportabili contrazioni dei muscoli. Al dolore fisico si accompagnava – sofferenza anche peggiore, tortura più spietata – l'«ipertensione» del pensiero. Miravano alla testa, quei maniaci, impiegando una specie di radar. Il loro covo, dovunque si trovasse, doveva essere pieno di aggeggi di precisione, costosissimi e infallibili.

Tutti i ritrovati di un'arte della guerra psichica che aveva come scopo ultimo il controllo e l'annientamento della vittima designata. Evidentemente, si può diventare il bersaglio di queste abominevoli pratiche per molti motivi, dalle leggerezze individuali alle colpe ereditarie, annidate nel sangue come i germi di tutti i castighi a venire. Ma è proprio qui che sbagliano le vittime, sempre impegnate ad almanaccare invano sulle ragioni e sulle intenzioni dei carnefici – così che tutta la loro esistenza finisce per diventare una domanda senza risposta. Meglio allora, molto meglio limitarsi a prendere nota di ciò che accade. Senza mai chiedersi perché proprio io, perché tutto quel dispendio d'uomini e mezzi, cosa avrò mai fatto, cosa rappresento per loro. Per effetto del dannato radar sentiva abbassarsi e rialzarsi, molto dolorosamente, la cima del cranio.

Chiedeva aiuto, non pensò mai di arrendersi senza combattere. Non era forse la figlia di Carlo Rosselli, l'eroe della Resistenza, assassinato a Parigi nel 1937 da una squadra di sicari fascisti? Consegnava minuziosi memoriali a ogni genere di autorità: uffici di polizia, consolati, la Croce Rossa. Al senatore Umberto Terracini, al Presidente della Camera Sandro Pertini. Queste denunce facevano infuriare gli aguzzini e le loro sofisticate angherie si moltiplicavano. Nessuno poteva aiutarla. «La sua solitudine è popolata di spettri», aveva scritto da giovane, nel poema («in forma di drago che si mangia la coda») intitolato *La libellula*. «La sua solitudine è popolata di spettri, e gli / spettri la popolano di solitudine». La continua «ipertensione» del pensiero la sfibrava. Per difendersi dalle intrusioni psichiche iniziò a parlare «sottovoce e tra i denti», nel tentativo di erigere una specie di argine, di trincea sonora. Così i monaci viandanti, in certe tradizioni orientali, tengono lontani i dèmoni notturni mormorando ininterrottamente i loro mantra. A volte invece gridava, sopraffatta dalla rabbia. Non perché sperasse di scacciarli, di intimidirli, di ridurli alla ragione. Il fatto è che perdeva le staffe.

Era una vittima, un corpo consegnato a un lento e misterioso sacrificio, un rito minuzioso e interminabile. D'altra parte era impossibile non rendersi conto che sulla scacchiera della vita, così affollata di pedoni, lei era un pezzo nobile. Uno strano incrocio tra una torre e un cavallo. Suscitava un rispetto istintivo: che è la forma più assoluta e irrevocabile del rispetto. Non c'era bisogno di conoscere i suoi libri. Che in effetti sono sempre stati letti da pochissime persone – la solita storia, su cui non vale nemmeno la pena soffermarsi. Chi mai li ha letti i grandi poeti del Novecento, a parte un manipolo di disturbati? Ma è un fatto che mi sembra abbastanza secondario. Basta la pura e semplice presenza nel tempo e nello spazio di un essere umano come Amelia Rosselli a ingombrare il mondo: come un enigma irrisolto e un vortice di energie invisibili e un buco nero sociale. *Un'anima in pena.* Di questo era perfettamente cosciente la gente del quartiere che la incrociava sulla porta di un negozio, o all'angolo fra due stradine buie, in quel labirinto di pietre antiche dove Roma ha sempre emanato un suo odore inconfondibile: segatura bagnata, polvere millenaria, piscio di gatto, ossa sfarinate. Il suo peso specifico umano eccedeva ogni misura consueta. Prima ancora di conoscerne qualunque cosa, noi percepiamo una sovrabbondanza di destino gravare su alcune persone, come se l'esistenza che conducono fosse più appropriata, per l'intensità del sentire e il dispendio delle forze, a una moltitudine. I loro stessi lineamenti sembrano sottoposti a una pressione atmosferica diversa da quella che bene o male sopportiamo tutti. Così che la superficie della fronte o la linea delle labbra o la forma del mento e alla fine tutto l'insieme dei tratti ci svelano una forma di bellezza impossibile da contemplare senza inquietudine, come un presagio che ci riguarda rimanendo indefinibile. Non credo di esagerare se affermo che queste persone, nella fatica e nell'incertezza della loro presenza, ci lasciano intravedere il segreto dei segreti, l'ultimo comma delle leggi naturali: non c'è nulla di possibile nel congegno del mondo, tutto è irreale nella realtà.

***

Quanta gente, nel corso degli anni, è salita da Arturo per farsi
fare un ritratto, all'ultimo piano del numero 4 di via del Corallo, distante solo pochi metri dalla casa di Amelia Rosselli, ma
dall'altro lato della strada? Ancora oggi, se penso a quelle rampe
ripide, con i gradini di pietra lucidi e smussati per l'uso secolare,
le immagino affollate di gente che sale e che scende, ininterrottamente. Scrittori famosi di passaggio per Roma, amici, signore
d'altri tempi che chissà come aveva scovato e sedotto, negozian-
ti e piccoli artigiani di via del Governo Vecchio e di piazza del
Fico... Nel libro intitolato *Portraits/Ritratti*, pubblicato da Actes
Sud nel 1994 con l'introduzione di Hubert Nyssen, si può trovare una specie di compendio di tutta questa meravigliosa, sorprendente, ingarbugliata varietà umana, da Paola Borboni all'uomo
delle bombole a gas, dal barbiere a Don DeLillo, da James Purdy
al macellaio. Uno splendido fornaio in maglietta e grembiule, che
assomiglia straordinariamente a un gentiluomo di Hans Holbein,
solleva fra le dita affusolate una rosetta appena sfornata come
fosse un simbolo esoterico. Un figlio già avanti con gli anni cinge
col braccio le spalle alla madre. Antonio Tabucchi sorride sotto i baffi e tiene tra le dita una sigaretta. Una ragazza incinta,
completamente nuda, il pube folto come si usava una volta, i ca-
pezzoli già turgidi, guarda l'obiettivo come si potrebbe guardare
il futuro, se il futuro fosse una cosa da guardare. Fidati di noi,
dicono tutti questi volti, che spiegano i loro lineamenti come un
vessillo nel vento, il vento del tempo – fidati di noi che siamo vivi,
e come tutti i vivi siamo in balia della corrente, non c'è scam-
po alle sue insidie, non c'è nessun vero riparo! La vita è troppo
breve per non accettare di essere ciò che si è! Che altro vorresti
essere? Arrivati in cima alle scale, per entrare in casa di Arturo si
percorreva un piccolo ballatoio ingombro di vasi per rampicanti.
Lui aspettava le persone sulla porta, valutando lo spessore del
bozzolo di consuetudini e falsità e paure che intendeva incidere
e possibilmente mandare in pezzi. Spesso lo accompagnava ad

accogliere gli ospiti il vero padrone di casa, un enorme, viziatissimo, nevrotico gattone tigrato che si chiamava Andrej, naturalmente in onore di Tarkovskij. Arturo amava lavorare con la luce naturale, appena corretta da una singola lampada. Il momento del giorno che preferiva era il primo pomeriggio, quando a Roma la ruota del cielo quasi rallenta la sua corsa, e il sonno e gli amori segreti sono più dolci e intensi che mai. Faceva sedere i modelli su uno sgabello dietro a una finestra aperta che dava sul terrazzo, mentre lui piazzava il cavalletto della macchina all'aperto, dall'altra parte del davanzale. Questo terrazzo era più basso dei fabbricati circostanti, e la luce vi si riversava come in un catino, più o meno colmo a seconda delle stagioni. Per far emergere il volto e la parte superiore del busto dei modelli dalla più totale oscurità, Arturo usava un pezzo di velluto nero pesante come un sipario. Non tutti i suoi ritratti, ovviamente, sono realizzati in questo modo, ma quelli «al davanzale», per definirli in qualche modo, rappresentano una misura ideale del suo lavoro, soprattutto nei primi anni. Mentre trafficava all'inquadratura, Arturo procedeva imperterrito nella sua opera di provocazione. La tecnica e la psicologia erano la sistole e la diastole dello stesso processo di avvicinamento, di scavo. Non cercava mai un modo efficace di riprodurre una determinata espressione. Tutte le espressioni sono finte, come mi ha ripetuto infinite volte. L'allegria, la simpatia, il decoro, l'ironia... tutte maschere sociali. «Noi passiamo troppa parte di nostra vita in *recitazione*, come matti! Lo spetacolo è finito, gente ritornata a casa, e noi sempre recitiamo!!!». Ci stampiamo sulla faccia ciò che vogliamo che gli altri pensino di noi, e finiamo per farne un'abitudine, non ci ripuliamo mai davvero di quel cerone, nemmeno quando siamo soli. E ci induciamo a credere al personaggio che abbiamo deciso di incarnare. «Sai qual è la cosa più dificile? Guardarsi in specchio! Solo pochi sanno fare senza mentire. Forse solo Dalai Lama è capace di questo. Ma lui non guarda sé». Una volta, abbiamo litigato perché, incautamente, gli avevo detto che mi piacevano i ritratti di Patty Smith fatti da Mapplethorpe per le copertine di *Easter* e *Wave*. Apriti cielo.

Quella era pura e semplice prostituzione emotiva! Mapplethorpe aveva reso visibile tutto ciò che la gente che comprava quei dischi voleva vedere in Patty Smith. «Pornography! Molto più onesto che ti fai fare tue foto nuda under the sheets come la povera Marylin!». Con tutta l'ostensione della sensibilità che comporta, la mitologia dell'artista contemporaneo gli sembrava poco più che un espediente commerciale. Isteria monetizzata – dilagante in quei facinorosi, estroversi anni Ottanta del Novecento. Era ingiusto con Mapplethorpe, credo, ma in quel suo ideale di sobrietà Arturo si era dimostrato più lungimirante di tanti suoi contemporanei. Se ci pensiamo bene, tutto ciò che è sopra le righe ottiene certamente un effetto immediato, ma in un mondo così saturo di immagini, c'è ben poco che resista all'usura. Le nostre capacità di assuefazione sono talmente ingigantite che nemmeno il sublime, o l'orrore, evadono dal recinto del momentaneo, e la nostra vita trascorre vanamente in uno stato perpetuo di sollecitazione e distrazione, sollecitazione e distrazione. Che importa allora che le pose abbiano la loro effimera efficacia sociale? È qui che sta la grande posta in gioco dell'arte del ritratto: la bellezza di ogni singolo essere vivente come manifestazione della sua possibile autonomia, della sua sovranità incondizionata. Totalmente immune dalle mode, Arturo perseguiva un ideale classico, voleva creare forme capaci di durata, di resistenza, di inattualità. Intendeva catturare i lineamenti dei suoi modelli in una condizione di purezza e *disinteresse* che di fatto gli esseri umani possiedono molto raramente. Essere, nel senso più pieno e nobile della parola, significa non aspirare a essere qualcosa per gli altri, e *nemmeno per se stessi*. Ciò che in noi è davvero trascendente e imperturbabile, ciò che corrisponde davvero alla nostra natura profonda, alla nostra vocazione spirituale e musicale, se ne fotte di noi stessi come degli altri. È pura mortalità, pura eternità. La sconvolgente emozione morale che un autoritratto di Rembrandt può suscitare anche nella persona più ignara di pittura appartiene a quest'ordine di ideali. Quello che vedi in quei quadri, è il risultato di una delle più radicali semplificazioni mai eseguite dall'ingegno umano: un essere umano che invecchia, carne viva che non sa nulla di nulla, ostaggio di un'oscurità più densa e impenetrabile di ogni parola che potrebbe descriverla.

Ho posato io stesso per Arturo, e molte volte ho assistito al suo lavoro. La partita che giocava era complessa e il suo esito dipendeva da innumerevoli fattori, dal grado di istintiva diffidenza di chi si trovava davanti al tempo che aveva a disposizione. Ogni persona imponeva una strategia diversa, così che, se si dovessero raccogliere le testimonianze dei modelli, ne verrebbe fuori un quadro abbastanza incoerente. Per molti che l'hanno conosciuto, ad esempio, sarà difficile trovare verosimile il ricordo di Arturo scritto da Tabucchi: quella delicatezza, quella paura di infastidire... Evidentemente, era un atteggiamento che andava bene con Tabucchi. Arturo non aveva bisogno di compiacere e di inventare strategie perché la sua autenticità era abbastanza poliedrica da permettergli di adattarsi all'altro senza fingere. «Vieni alla vita, non aver paura, coraggio!». Così Edith de La Héronnière ha tradotto in una formula l'invito che Arturo rivolgeva a chi posava per lui. Alla fine di un libro sulla Sicilia, che è un lungo e lento pellegrinaggio alla sua tomba, Edith descrive il ritratto che le ha fatto Arturo, cogliendo come meglio non si potrebbe il senso della provocazione socratica dell'amico, quell'arte consumata di farti uscire dalle tue difese come un coniglio selvatico, fiutata la primavera, esce dalla sua tana. «Oggi, quando guardo la foto, vedo nei miei occhi lo sguardo di colui che l'ha scattata. Vedo la sua attenzione, la sua cura, il suo fervore. Vedo anche la sua gioia e tutte le sue collere, la sua impazienza metafisica, la maniera che aveva di andare sul campo dell'onore e di cercare sui volti l'avvenire e l'al di là dell'essere, di sfidare l'impossibile per raggiungere, dietro la maschera che ognuno di noi assume davanti al fotografo, la parte inconsolabile ed eterna di ciascuno».

Vieni, vieni alla vita, non aver paura, coraggio!!!

NUOVI ARGOMENTI

Rivista trimestrale diretta da
ATTILIO BERTOLUCCI - ALBERTO MORAVIA
ENZO SICILIANO

56

NUOVA SERIE
OTTOBRE-DICEMBRE 1977

Nella primavera del 1977, di ritorno a Roma da un'infelicissima permanenza a Londra (ricoveri in cliniche, una manciata di elettroshock, vane richieste di aiuto a svariate autorità), Amelia Rosselli si stabilì in via del Corallo, nella minuscola mansarda («un piccolo appartamento medievale», come scrisse in una lettera al fratello) che sarebbe stata la sua ultima casa. Poco più di una stanza e un lungo corridoio, lo spazio reso ancora più esiguo dal tetto spiovente. Si stava avvicinando alla soglia dei cinquant'anni: l'ultima linea d'ombra, forse, prima che tutto diventi un'ombra più o meno angosciosa, più o meno confortevole. La sua vita l'aveva condensata perfettamente in cinque versi del primo libro, le *Variazioni belliche*: «Nata a Parigi travagliata nell'epopea della nostra generazione / fallace. Giaciuta in America fra i ricchi campi dei possidenti / dello Stato statale. Vissuta in Italia, paese barbaro. / Scappata dall'Inghilterra paese di sofisticati. Speranzosa / nell'Ovest ove niente per ora cresce». Come tanti sradicati, non era dotata di nessun senso pratico, ma era onesta e frugale (virtù più preziose del senso pratico) per istinto e abitudini ereditarie. Nessuno può negare che fosse un carattere difficile e a volte impossibile, sfibrato e inasprito dai suoi innumerevoli guai. Ma altrettanto evidente, per come la ricordo, era un fondo di inestinguibile gentilezza d'animo, di attenzione, di generosità.

Non si contano i poeti giovani e sconosciuti che bussavano alla sua porta. C'era anche chi la odiava, per esempio Elsa Morante, che vedeva in lei una persona falsa e malvagia, e chi la sottovalutava. Nel 1977, quel rione di Roma dove era andata ad abitare era tutt'altro che un posto chic. In quell'epoca alle reception degli alberghi si scongiuravano i turisti di stare attenti quando si avventuravano, dopo il tramonto, nei vicoli oltre piazza Navona. In effetti, convivevano in quei luoghi antichi e scarsamente soleggiati tipi umani e forme di esistenza di ogni genere. C'erano dinastie di papponi e strozzini, intere famiglie di rapinatori e ladri d'appartamento, popolose colonie di eroinomani e alcolisti, celebri artisti dimenticati, aristocratici spiantati, avventuriere, faccendieri di tutte le risme, gente del cinema, gente che risultava da lungo tempo sparita, gente che aveva perduto ogni ruolo sociale definibile. Sarebbe stato impossibile censire i bordelli, le bische, i magazzini dei ricettatori, i covi dei terroristi.

Da qualunque lato la si voglia considerare, la vita di un poeta prima o poi rivela la stessa consistenza di una leggenda metropolitana. Un racconto che non deve rendere conto ad altro che a se stesso per giustificare la sua esistenza caparbia e arbitraria. Si può parlare di Amelia Rosselli come si parla degli alligatori cresciuti nelle fogne o dei topi giganti o dei tesori degli zingari o delle fontane che parlano.

Scrivere in una casa nuova: come un cane che pisciando e fiutando delimita uno spazio sconosciuto, gli conferisce una forma, un qualche tipo di significato. Ogni casa che abitiamo è un modello del mondo, un planetario. Ci costringe a gravitare intorno a un centro tolemaico di cui non conosciamo mai bene la natura, così come non sappiamo mai esattamente dove sia il centro di noi stessi e che cosa realmente vi accada. Nei primi mesi passati a via del Corallo, Amelia Rosselli compose un testo in prosa di cui non si può sottovalutare l'importanza, non fosse altro che per la sua asciutta, pragmatica, classica bellezza. Datata «16 settembre

1977», la *Storia di una malattia* uscì, alla fine dell'anno, sul numero 56 di «Nuovi Argomenti». Non più di una decina di pagine, che la rivista diretta da Attilio Bertolucci, Alberto Moravia ed Enzo Siciliano, la più importante rivista letteraria italiana, presenta con quella che sembra una certa degnazione – «pubblichiamo volentieri questo testo di Amelia Rosselli a testimonianza di un'insolita esperienza esistenziale».

«Insolita» l'esperienza lo è davvero. Ma questa non è una «testimonianza», è un pezzo di alta letteratura, cucina a cinque stelle. A partire dal titolo insidioso, perché l'idea della «storia» di una «malattia» evoca la prospettiva di una guarigione, o almeno di una remissione temporanea, di un intervallo di lucidità. Non aveva approfittato di uno di questi momenti propizi il venerabile capostipite di tutti gli scrittori paranoici, il Presidente Schreber, per comporre le *Memorie di un malato di nervi*? Amelia Rosselli, al contrario, non osserva un bel nulla dall'esterno, come se fosse rinsavita: ciò di cui parla sta avvenendo, continua ad avvenire fino all'ultima riga del testo («...sono in attesa di notizie»). Il fatto è che la malattia non è qualcosa che sta dentro di lei, e che dunque si potrebbe in qualche modo curare. Produce certamente un grave disordine psichico, ma non è il frutto, il fantasma di questo disordine. In fin dei conti, non si tratta della *sua* malattia, intesa come un'alterazione soggettiva della realtà, un delirio. Amelia Rosselli ci parla di un'entità minacciosa, dotata di un'esistenza autonoma, oggettiva. Quello che per noi è «paranoia», o «psicosi», per lei ha tutt'altro nome. *«La malattia era la CIA»*. Un nemico che non proviene da qualche stortura o ferita dell'anima, ma da un minaccioso anfratto della realtà.

Le traversie interminabili raccontate nella *Storia di una malattia* potranno complicarsi con l'intervento dei servizi segreti italiani, dell'ufficio politico della questura, di altre organizzazioni poliziesco-spionistiche senza nome, ma alla base di tutto c'è sempre la CIA, con i suoi spaventosi mezzi di coercizione e la sua tecnologia fantascientifica. Tutto inizia nel 1969. «Poca roba»: qualche cappuccino drogato che le veniva servito nei bar «del Trastevere», come scrive lei nel suo splendido italiano da eterna forestiera (anche nelle *Variazioni belliche*: «Le rondinelle giocavano molto dolcemente al disopra dei / tetti *del* Trastevere ma io non vedevo altro che il Paradiso»). Cominciano presto a verificarsi dei fenomeni inquietanti, tutti in qualche modo legati alla sensazione di essere controllata. Strani rumori nel telefono, cibi adulterati con dosi sempre più massicce della misteriosa, efficacissima «droga». Il comportamento ambiguo del portiere del palazzo in cui vive la costringe a traslocare. È il 1971 – l'anno «in cui veramente cominciarono le noie». Si cristallizza nel nuovo appartamento l'esperienza centrale, il nucleo della «malattia»: la certezza di *essere ascoltata*. Non solo la voce: anche e soprattutto i pensieri possono essere spiati da estranei in grado di farlo. Non c'è nessuna barriera, in queste condizioni, che risulti a lungo efficace. Se si elimina un apparecchio sospetto, come la televisione esiliata in giardino, presto sarà un altro ad essere manomesso. Ma c'è di peggio. Questa attività di spionaggio è volutamente difettosa, perché produce dei rumori, un'infinità di rumori. È proprio questo il segreto del controllo perfetto: sembrerebbe logico che le spie cerchino di occultare il più possibile la loro presenza, mantenendo la vittima in una condizione di tranquillità, senza sospetti. E invece, in questo caso, non smettono di manifestarsi, di insinuare le loro presenze nello spazio e in tutti gli interstizi accessibili della mente. Chi ascolta pretende di essere, a sua volta, ascoltato. Si possono concepire un'invasione più capillare, una sottomissione più feroce?

«Nell'aria, in casa, c'erano strani rimbombi e come delle lontane conversazioni».

Il motivo della lunga persecuzione non si renderà mai evidente. Ma anche questo fa parte dell'opera di manipolazione psicologica: costringere la vittima ad aggirarsi in una trappola di ipotesi, di spiegazioni parziali. Nel corso del tempo, Amelia Rosselli redige molte denunce e memoriali, documenti affidati all'attenzione di varie ambasciate e consolati, di rappresentanti delle istituzioni, di figure eminenti del Partito Comunista. La CIA si avvale indifferentemente dei metodi più rustici e sperimentati (portieri infedeli, vicini indiscreti) come di quelli più raffinati, tra i quali spiccano, oltre alle sostanze psicotrope, gli «impulsi elettromagnetici» in grado di orientare la volontà e leggere nei pensieri.

«...*venivano usati mezzi suppongo elettromagnetici per rendere tesissimi i muscoli, con conseguente ipertensione anche del pensiero: ne seguiva un mio parlottio continuo, difficilmente controllabile; con parziali scoppi di rabbia*».

Intorno al 1973, subentrano nuove voci: «sei-sette», maschili e femminili. «Cominciarono con commenti per metà apparentemente umoristici, tanto da fare poi pensare a una compagnia di attori disoccupati». Non mancano, però, le più consuete «minacce». Quando Amelia chiede alla strana compagnia «cosa fate qui?» loro rispondono «non siamo qui per farti piacere». Il «parlato» di queste persone svela facilmente la loro origine americana, anche se manca un accento particolarmente riconoscibile. Continuamente, giorno e notte, ripetono la parola *good*. La frequenza di questo suono è devastante, capace di interrompere ogni forma di pensiero continuato. Di tutte le torture subìte, questa è senza dubbio la peggiore, perché ha il potere di scalzare la vittima da se stessa, dal centro della sua coscienza occupata da quel suono estraneo. Forse, chi lo può sapere, *good* è la parodia di una parola d'ordine effettivamente usata nei servizi segreti. Dopo un po' di tempo, Amelia comprende che questi «attori» assumono droghe, non per il loro piacere, ma per acquisire poteri telepatici. «Pare che tramite l'uso di certe droghe pesanti sia possibile la lettura del pensiero, abbastanza esatta anche se si tratta di lettura degli strati consci, superiori, del pensiero immediato». È così che lavora questa gente, avvalendosi delle risorse di un'implacabile, efficacissima specularità: per ascoltare si fanno ascoltare, se somministrano droghe non si esimono dall'assumerne anche loro.

good good good

good

«non siamo qui per farti piacere»

good

good good good

good

Vienna, primavera del 1733

Quando scrive il suo sonetto, a trentacinque anni, Metastasio non è né giovane né vecchio – almeno secondo i criteri dei suoi tempi. I suoi lineamenti delicati saranno stati più o meno quelli che si possono osservare comodamente nel ritratto attribuito a Pompeo Batoni o a Martin Van Mytens, più preciso e impassibile di una fototessera. È proprio per la sua oggettività che l'immagine possiede una sua sinistra bellezza. Quel viso rinserrato nella sua prudente bonomia non sembra nemmeno fatto di materia umana. Come se il pittore avesse dipinto il ritratto di una statua di cera. Nel 1733, comunque, Metastasio ha ancora mezzo secolo di fronte a sé: sarà un lentissimo, ipocondriaco avvizzire nella gloria. Come se fosse un gioiello di famiglia, o un tappeto prezioso, Carlo VI lo lascerà in eredità all'ambiziosa, moralista, sentimentale Maria Teresa, che tra guerre e gravidanze, riforme e trattati non si scorderà mai qualche piccola attenzione, qualche regale buffetto per quel prodigioso abate romano venuto dal nulla, che quando era bambina insegnava a cantare a lei e alle sue sorelle, le arciduchesse, le *padroncine*, accompagnandole sulla spinetta. Quali sono le ragioni della sua fama così duratura? Forse mai nessuno è rimasto così a lungo in equilibrio sulla cresta d'onda del successo. Perché non c'è mai stato uno come lui? Puoi dissezionare una sua aria, o un suo libretto, come il cadavere di un impiccato su un tavolo anatomico, e non ne vieni a capo. A maneggiare quei brevi versi, quelle convenzioni retoriche, quegli eterni luoghi comuni sembrano buoni tutti. Eppure, c'è un segreto che solo lui possiede. Le sue parole sembrano sempre uscire dal grembo della musica, stillanti di armonia, ancora avvolte in una placenta melodica. Ne risulta una totale naturalezza del linguaggio, una trasparenza che lo rende infallibilmente appropriato ai sentimenti che intende esprimere. E se la musica dà vita alle parole, le parole a loro volta generano musica. È questa circolarità che rende possibile il canto: la sintesi suprema della natura umana, l'ascensione a un mondo di pura bellezza e intensità sentimentale, il volo dell'anima. Ma a differenza degli uccelli, che cantano e basta, beati loro, gli esseri umani hanno bisogno di cantare *qualcosa*. Nel suo movimento sinuoso, la melodia forma, dissolve e riforma un simulacro di realtà, un mondo possibile. Qualcosa che si riconosce anche quando lo ascoltiamo la prima volta: perché è sempre stato lì, dentro di noi.

Mio ben ricordati,
se avven ch'io mora,
quanto quest'anima
fedel t'amò.
Io, se pur amano
le fredde ceneri,
nell'urna ancora
ti adorerò.

Questi piccoli versi, queste parole che brillano e scoppiano come bolle di sapone sono la lingua adamitica del cuore, appartengono alla persona innamorata in maniera diretta e naturale come il frinire appartiene al grillo e il trillo all'usignolo. Sembra facile, e deve sembrarlo, è decisivo che lo sembri pur essendo, all'atto pratico, una cosa difficilissima da realizzare. Questo dolce, vagamente insensato lamento è la spina dorsale del canto, il centro vibrante dell'essere.

Che fa il mio bene?
Perché non viene?
Ogni momento
mi sembra un dì.

«Nel lamento», ha scritto Giorgio Manganelli, «il discorso umano assume nativamente una struttura musicale». Per questo motivo, la poesia di Metastasio è «un protratto, lento lagno, uno
struggimento, uno sfinimento del corpo e della voce».

***

Se non si può definire il segreto, è almeno possibile parlare ra-
gionevolmente del *metodo* di Metastasio, che sembra consistere in una specie di utopia psicologica: uno stato di ispirazione
costante fondato sulla tranquillità, la velocità e la puntualità.
Sono Muse abbastanza ragionevoli, travestite da piccole virtù
domestiche. Tanto più che comanda il calendario, e non c'è
nessuno spazio per i capricci e gli imprevisti dell'umore. Non ci
sono solo le opere, ma i compleanni dei sovrani e delle grandu-
chesse, gli anniversari, le inaugurazioni, le cantate e, durante la
Quaresima, gli oratori con gli episodi della storia sacra: melodrammi biblici e metafisici. Solo le guerre e i lutti della famiglia
imperiale riescono a dargli un po' di tregua. Ad ogni modo,
lui è un uomo laborioso, indaffarato, che non lascia nulla al
caso. Come un meccanismo a molla caricato una volta per sempre. A volte il tempo era pochissimo. Meno di venti giorni per
l'*Achille in Sciro*, scritto nel 1736 per il matrimonio di Maria
Teresa con lo sciocco, infedele, amatissimo Stefano Francesco,
duca di Lorena. Lui decide il soggetto, scrive, manda le parti
già completate al musicista mentre pensa a quelle ancora da
fare. Salta in carrozza per sorvegliare il lavoro degli scenografi
in teatro: arrampicato su una scala spiega ai «meccanici» quando e dove devono far apparire un bosco, o un tempio, o una
sala del trono. Non è finita: la prima donna lo aspetta a casa

sua, per provare un'aria. Esausto, torna a rinchiudersi nel suo studio per scrivere il seguito, e così via. C'è sempre un valletto sulla porta al quale affidare i fogli ancora umidi d'inchiostro. È abbastanza ovvio che in tali condizioni le pretese dell'Io si riducano al minimo indispensabile, mantenendosi sempre nei limiti dell'utile. Per trovare nella storia letteraria italiana una capacità di dissolversi nel lavoro paragonabile a quella di Metastasio, bisognerà aspettare Emilio Salgari. Quando speculiamo sulla cosiddetta vita interiore di questi due sconcertanti prodigi umani, Salgari e Metastasio, finiamo per arrenderci. Saranno stati più o meno come tutti noi, non c'è dubbio, ma non ne sapremo mai nulla, tutte le innumerevoli tracce che si sono lasciati dietro, tutti i documenti e le testimonianze non fanno che ribadire il loro inespugnabile *anonimato*. Non si confidano. Lo avranno certamente fatto in privato, ma ciò che provano, le cose che li fanno soffrire e quelle che li tranquillizzano, le paure, le speranze... non hanno nessun rilievo poetico per loro. Sono i servi perfetti di un'opera che sembra prendere forma da sola. Si preoccupano esclusivamente di mantenere la vena accessibile e abbondante – accada quel che deve accadere. Questo è un fatto da tener presente quando si studia questo sorprendente autoritratto che è la poesia di Metastasio sui «sogni» e le «favole». In tutta la sua carriera di scrittore, considerate anche le migliaia di lettere che si sono conservate, questi quattordici versi sono un caso unico di gratuità, di espressione soggettiva. Nessuno gli ha chiesto di affrontare questo delicato e imbarazzante argomento, la pazzia dell'artista, la pazzia della vita, quella perpetua condanna a prendere lucciole per lanterne, fischi per fiaschi. Siamo così abituati a pensare al poeta come a un uomo che percepisce e registra ciò che la vita gli offre, senza calcoli e imprevedibilmente, che è difficile anche solo immaginare il piano di realtà di Metastasio. Per lui, esprimere un'opinione personale non poteva che equivalere a un'eccezione, e a conti fatti a una perdita di quel tempo che non basta mai a fare ciò che si deve fare. Lui scrive col valletto che lo aspetta fuori dalla porta. E così, l'unica volta che gli capita di formulare un pensiero che non gli serve a nulla, che non rientra in qualche mansione poetica ufficiale, questa incursione nella soggettività non potrà che configurarsi come un'interruzione, una scrittura che si mette di traverso a ciò che sta scrivendo, creando come un piccolo, imprevisto ingorgo nella sua abituale fluidità. È proprio quello che ci racconta la didascalia premessa al sonetto nelle principali stampe: «Scrivendo l'autore in Vienna la sua *Olimpiade*, si sentì commosso fino alle lagrime nell'esprimere la divisione tra due teneri amici...». Proprio mentre componeva l'*Olimpiade*, considerata il vertice del suo talento, il limite estremo della sua capacità di seduzione narrativa e musicale, Metastasio ha perduto il ritmo. Si è chiesto chi era, che cosa stava facendo, quale mai fosse la consistenza delle sue certezze. Nei cartoni animati si vede ogni tanto un personaggio che comincia inavvertitamente a camminare nel vuoto, oltrepassando il ciglio di un dirupo o il cornicione di un palazzo. Tutto va bene fino a quando è inconsapevole. Noi vediamo che sta accadendo qualcosa di impossibile e pericoloso al tempo stesso, ma Wile Coyote o il Gatto Silvestro stanno pensando ad altro, e questa noncuranza trasforma il vuoto in un terreno solido sul quale camminano senza sospetti. Ma a un certo punto, la coscienza li riafferra. Si fermano, sospettando che ci sia qualcosa che non va. Si rendono conto che sotto i loro piedi non c'è nulla. Troppo tardi per tornare indietro. La forza di gravità, inesorabile, comincia ad agire. Tutte le illuminazioni assomigliano a questa scenetta. Il vero movimento della saggezza consiste in un improvviso *precipitare* nella verità.

Riprendiamo la poesia dall'inizio. Folle come sono, incapace di erigere una barriera sicura tra il vero e il falso, mi ritrovo invischiato nei miei stessi inganni. Ci piango sopra. Lo riconosco: ma chi può dirsi davvero al riparo dal delirio? La malattia professionale, che scambia per veri i *sogni* e le *favole* della finzione, è solo un indizio, o una variante, del Grande Equivoco. Come in quei sogni angosciosi nei quali ogni via d'uscita ci riporta all'interno del luogo da cui volevamo fuggire, siamo sempre in qualche specie di teatro, e le passioni suscitate dalla cosiddetta vita reale non hanno un fondamento più saldo di quelle provocate dall'illusione artistica. E dunque, prosegue Metastasio, acquistando di verso in verso un grado più alto di consapevolezza, quando parlo di sogni e di favole non è solo alla fantasia del poeta che penso, perché io stesso in effetti, come gli eroi delle finzioni più improbabili, vivo in una menzogna, se mi guardo intorno non vedo altro che menzogna, dire menzogna equivale a dire *tutto*, e quando credo di temere o di sperare qualcosa di concreto, non faccio che delirare, la mia vita è un delirio, vivere è delirare.

Sogni, e favole io fingo; e pure in carte
mentre favole, e sogni orno, e disegno,
in lor, folle ch'io son, prendo tal parte,
che del mal che inventai piango, e mi sdegno.

Ma forse, allor che non m'inganna l'arte,
più saggio io sono? È l'agitato ingegno
forse allor più tranquillo? O forse parte
da più salda cagion l'amor, lo sdegno?

Ah che non sol quelle, ch'io canto, o scrivo,
favole son; ma quanto temo, o spero,
tutto è menzogna, e delirando io vivo!

Tutto è menzogna. Mai, mai in vita sua Metastasio l'ha sparata così grossa. E mai lo farà in futuro. È vero, vive in un'epoca di atei, di libertini d'ogni specie, di liberi pensatori che a una cosa del genere non farebbero nemmeno caso. Ma il prudente, benpensante, umile Metastasio! Tutto è menzogna?!? La carta sta ancora assorbendo l'inchiostro che lui si è già pentito. Bisogna capire questo fatto. Nessuna idea è più scandalosa di quella che scandalizza chi l'ha concepita. Un pover'uomo, che ha fatto sempre il suo dovere, che conosce qual è il suo posto nel mondo, per una sola volta che allenta le briglie, e dice la sua, rischia di rovinarsi la reputazione con un semplice sonetto. E dire che lui, che pure è capace di scrivere qualunque cosa in versi, i sonetti, antichissima e venerata specialità della poesia italiana, non li ama affatto. Li riteneva, confidò una volta a suo fratello Leopoldo, più adatti alle menti «sterili e limitate» che a quelle «vaste e feconde». Nel «meccanismo» obbligato di quei quattordici versi vedeva troppa «angustia». Erano simili ai colpi di fortuna: un sonetto può venire bene a un genio come a un cretino. Ma il problema è un altro. Il sonetto in questione gli è riuscito benissimo. Gli riesce sempre tutto quello che fa, e in quella fase della sua vita gli riesce tutto benissimo. E allora? Non è uno scrupolo artistico quello che assale Metastasio. È qualcosa che ha a che vedere, semmai, con il catechismo, con l'ortodossia, che l'abate Metastasio intende sempre alla romana: una lieta, incondizionata, pecoresca sottomissione all'idea cattolica della realtà. Nulla di particolarmente oppressivo, bisogna ammettere. È una forma di conformismo assimilata fin dall'infanzia, una seconda natura, un istinto servile più che una concezione del mondo. E allora, cosa fare di quella verità che gli è scappata dalla punta della penna? Tutto è menzogna. Un'anima pia ci metterebbe poco a puntare il dito, a sentire puzza d'eresia. «Tutto» è una parola grossa. Il Tutto è un'opera, una faccenda, una prerogativa del Signore. Come potrebbe essere una menzogna? Allora è vero che sei un folle, Metastasio! In che spinosi e imbarazzanti labirinti ti vai a ficcare? Meglio sarebbe che distruggessi quel parto del tuo ingegno che nessuno – fatto di per sé riprovevole – ti ha commissionato. Rimettiti a lavorare all'*Olimpiade*, butta il dannato foglio nella stufa di maiolica, e dimentica quel breve esercizio di verità. Torna a tessere i tuoi intrighi, a modulare i tuoi delicati lamenti d'amore, i tuoi struggimenti. E piangici sopra tutte le lacrime che vuoi: nessuno ci farà caso.

Tutto sommato, se ancora leggiamo il sonetto di Metastasio, che venne stampato varie volte con il suo consenso durante la sua vita, ciò significa che l'autore trovò la maniera di rassicurarsi. Quella riflessione morale, quella presa d'atto della follia della vita gli piaceva troppo per sacrificarla ai sospetti dei malevoli. Ma degli scrupoli di Metastasio si è conservata una notevole testimonianza in una lettera del 6 giugno 1733, spedita a Roma, insieme al sonetto, a Marianna Benti Bulgarelli, detta la Romanina, una delle più celebri cantanti del suo tempo. Metastasio si fidava ciecamente di quella donna che aveva esercitato un'influenza decisiva sulla sua vita. Aveva capito il suo talento, l'aveva tirato fuori dallo studio di un avvocato dove languiva come un Bartleby scrivendo versi di nascosto, l'aveva introdotto nella migliore società, aveva condiviso con lui i primi successi. È alla Romanina che chiede un consiglio riguardo a quel «tutto è menzogna» che continua a turbarlo, nonostante abbia cose più importanti a cui pensare. Le confida il timore che spunti fuori un rompiscatole, un «seccapolmoni» lo chiama, che gli rinfacci lo sproposito. Immagina addirittura le parole dell'accusa – «*Non temete voi l'inferno? Non isperate voi in Dio benedetto? Or Dio benedetto e l'inferno sono a parer vostro menzogne?*». Ma lui ha già pronta la risposta da dare allo zelante «seccapolmoni». Lo sa bene che Dio e l'Inferno sono «verità infallibili», lui si riferiva solo al timore e alla speranza provocati dagli «oggetti terreni». Comunque, visto che la prudenza non è mai troppa, nella copia del sonetto spedita alla Romanina c'è anche un verso alternativo a quello incriminato:

Tutto è menzogna, e delirando io vivo!

può diventare

Seguendo l'ombre, in cui ravvolto io vivo

– molto più fiacco e convenzionale e quasi privo di significato. Alla fine, però, quella via d'uscita viene tralasciata. Tanto varrebbe distruggere tutti gli altri versi. Metastasio è un artista troppo consumato per non saperlo. Correggere quell'intuizione – *tutto è menzogna* – sarebbe come immaginare un corpo solido privato del suo baricentro. Come far finta di non aver visto ciò che si è appena visto. Come pretendere di restare sospesi in aria, privi di peso, mentre la forza di gravitazione della verità ci ha già afferrato con i suoi artigli e ci trascina giù. Tutto è menzogna.

I<small>L</small> G<small>RANDE</small> C<small>RITICO</small>

Le curiosità intellettuali di Arturo erano, come si può immaginare, avide, intense, disordinate. A contatto con certi libri, si *infiammava*. Lo spirito di ognuno di noi assomiglia sempre a qualche materia più o meno nobile del mondo fisico – ebbene, il suo sembrava proprio fatto di legna secca, pronta a crepitare alla prima scintilla. E l'incendio doveva propagarsi al prossimo, mentre le campane della sua ammirazione suonavano a martello. «Wow. *Davero* non conosci questo???». Ci restava malissimo se non riusciva a trasmetterti lo stesso entusiasmo che provava lui. Come potevi vivere senza avere letto *Il re e il cadavere* di Heinrich Zimmer? Era concepibile scrivere un solo verso senza conoscere a memoria le poesie di Marianne Moore? Lo disturbava essere solo in queste sue passioni così travolgenti. E molto spesso, anche se eri stato tu a suggerirgli un libro, passavi comunque rapidamente dalla parte del torto, perché non ti aveva cambiato abbastanza la vita, ti aveva scaldato solo fino a un certo punto. Andò così con Cristina Campo. Gli avevo regalato la prima raccolta postuma dei suoi saggi, *Gli imperdonabili*, e mal me ne incolse. Interrompeva la lettura per tempestarmi di telefonate. Perché non avevo scritto un libro su di lei, invece di baloccarmi nei miei studi inconcludenti? Avevo capito bene la grandezza di quella donna? Cominciò a rintracciare tutte le persone che l'avevano conosciuta e frequentata. Non solo gli scrittori, troppo facile. Si aggirava sull'Aventino, nei dintorni di piazza Sant'Anselmo, l'ultimo indirizzo della Campo, in cerca di qualche negoziante che ancora se ne ricordasse, di qualche prete che poteva avere frequentato negli ultimi tempi, quando si batteva per la conservazione della messa in latino. Ricostruì tutto un sorprendente reticolo umano che voleva rappresentare in un libro a cui pensò per qualche tempo. Ogni tanto, organizzava anche delle cene dove si parlava di lei, mettendo intorno allo stesso tavolo gente disparata e lievemente imbarazzata. In un'occasione, tentò anche di comunicare direttamente con Cristina Campo, servendosi di un'anziana medium, con il sistema della tazzina e delle lettere. Così era fatto Arturo, quell'uomo chimerico e generoso, e nessuno potrà togliermi dalla testa che l'unico compenso alla fatica di scrivere, a quella solitudine così frustrante e interminabile, siano le persone come lui. Con la stessa indomita energia, detestava l'ipocrisia, la supponenza, le ciarle del cosiddetto mondo culturale: tutto quel prestigio di stucco, quelle gerarchie mondane, quell'eterno contrappunto della maldicenza e dell'adulazione.

Nello scrivere di Arturo, via via che cercavo il tono giusto, mi sono trovato a constatare una perfetta coincidenza del problema tecnico e di quello psicologico. Esprimere un punto di vista significa sempre confessarsi. E raccontare delle persone che abbiamo amato ed ammirato ci fa scoprire su di noi molte più cose di quelle che verrebbero a galla parlando direttamente dei fatti propri. Ora, pur non essendo affatto inconsapevole dei suoi difetti, io adoravo Arturo per tanti motivi, ma al centro di tutto c'era la sua capacità di *conoscersi*. Era un uomo libero, perché sapeva chi era e cosa voleva. Non è forse questo il vertice di ogni saggezza? *Nosce te ipsum*. Esattamente al contrario, io sono sempre stato un carattere irresoluto, opaco, ignaro di me stesso. Ed è a causa di questa debolezza intrinseca che l'influenza che Arturo ha esercitato su di me è stata, senza che lui lo immaginasse, letteralmente devastante – nel bene e nel male. Cercherò di spiegarmi. Da giovane, nutrivo delle ambizioni da studioso, volevo diventare un professore dell'università, o qualcosa del genere. Non mi pesava la quotidiana penitenza dello studio. Amavo rinchiudermi, dalla mattina alla sera, in quella buffa scatola di vetri e travi di acciaio che è la Biblioteca Nazionale di Roma, a Castro Pretorio. Le sale moderniste di quel luogo, pervase di luce e silenzio, suggerivano la possibilità di un'esistenza quieta, laboriosa, ispirata dai fantasmi di epoche remote – pallide luci che tremano da lontananze inconcepibili. La conoscenza procede lenta, come una piroga sull'oceano. È una forma complessa di orientamento, un tranquillante a rilascio prolungato, un'ascesi gratificante. Leggevo gli antichi poeti toscani, mi addentravo nei segreti dell'arte medievale. Prendevo appunti: centinaia, migliaia di pagine di appunti. Per molti anni ho conservato quei quaderni senza mai riaprirli, finché, durante un trasloco, si sono persi. Ho avuto la sensazione che una parte importante della mia vita, in quel momento, fosse andata in fumo, proprio come se non l'avessi mai vissuta. Eppure, in tutto quel dispendio di energie, c'era qualcosa che non andava: un principio di erosione interiore, una forza nullificante. Avevo letto un verso di uno di quei vecchi poeti che studiavo, e ci avevo intravisto la mia immagine come se quella manciata di sillabe scritte all'inizio del Duecento fosse un frammento di uno specchio. *Lo mio lavoro spica e non ingrana*, diceva il poeta. Una bella metafora vegetale. La mia fatica è come una pianta che produce sì una spiga, ma non arriva a dare il grano, non matura fino in fondo. Quando un lavoro non produce il risultato che ci si aspettava, significa che lo si è intrapreso senza l'energia necessaria. Pensiamo di volere delle cose che in realtà non vogliamo, o non vogliamo abbastanza. Di questa fatale complicazione, che avrebbe finito per distogliermi completamente dalle mie ambizioni, Arturo, per un lungo e decisivo periodo della mia vita, attorno al trentesimo anno, è stato il testimone e in qualche modo il responsabile. Non che disprezzasse in generale l'erudizione, e nemmeno gli accademici.

Era amico di tanta gente «con gli occhiali sul naso e l'autunno nell'anima», come li chiamava Isaak Babel'. Ma non era la *mia* strada, come non mancava mai di ripetermi, e come mi scrisse in una lunga lettera, che ho perduto ma non ho mai dimenticato, una volta che gli avevo lasciato nella buca delle lettere una copia del mio primo studio filologico pubblicato, un'interpretazione di un passo della *Vita nuova* di Dante. Secondo Arturo, avrei potuto anche ottenere dei risultati con la tenacia, ma il guaio è che facevo quelle cose *senza amore*, e dunque mi venivano secche, uguali a come avrebbe potuto farle chiunque altro. «Tutto quello che fai è che tu *ubidisci*!!! Tu pensi che la società ti dà ordini. Tu pensi che la società è più forte di te. E così tu vuoi che altri dicono di te *profesore*. Bravo profesore. Così *mammina* e papà sono contenti. Such a shame. Tu non sei *profesore*. You are a nasty boy, un desperado. Prima tu acetti questo, prima sei libero, prima somigli te stesso. Cosa importa a te di profesori». Arturo aveva ragione, e quella parola, *desperado*, pronunciata con il suo accento americano, era così vera che mi dava l'idea di una freccia conficcata nel bersaglio. Nel mio ceto culturale e sociale, la virtuosa e tollerante borghesia comunista di fine secolo, il professore era il tipo umano più eminente e rispettato. Ogni generazione ne produceva migliaia. Era una carriera che necessitava un certo impegno, ma umanamente possibile. Quella del desperado, invece, era per sua natura piena di incertezze. Si rischia di pesare inutilmente sul prossimo, di annegare nello sconforto. Di non possedere la stoffa del genio, me ne ero accorto molto presto. E allora? Oggi, che bene o male sono arrivato alle soglie della vecchiaia, vedo le cose con una chiarezza e una tranquillità che da giovane, ahimè, quando mi identificavo con la spiga che non maturava, non possedevo. Non ho avuto la costanza necessaria a diventare un professore, e non ho avuto il coraggio di essere fino in fondo un desperado – per vedere finalmente cosa c'era, in fondo al pozzo che ho sempre sentito gorgogliare sotto i miei piedi, con tutte le sue esalazioni. Né ardente né freddo, né carne né pesce, ho abitato come potevo il mio fallimento. Il che, tutto sommato, equivale a dire che ho vissuto una vita che definirei, dovesse finire in quest'attimo, degna di essere vissuta. Certo, quando leggo la formula «critico e scrittore» non posso impedirmi di associarla al sorriso ironico, alle provocazioni di Arturo. Mi sembra la definizione perfetta di un cretino che non è riuscito ad essere né l'uno né l'altro. Un prodotto di scarto della buona società.

Chi era Arturo per me, un Grillo Parlante o un Lucignolo? Credo che le persone davvero importanti nella vita di ognuno, alle quali si può attribuire un'influenza decisiva e prolungata, come quella di certi pianeti sul quadro astrale, siano un ibrido molto più complicato – Grilli Parlanti e Lucignoli nello stesso tempo. Quanto a me, quel periodo decisivo in cui le cose possono ancora accadere lo trascorsi nella peggiore delle maniere: adeguandomi ai ritmi di una doppia vita in cui il professore e il desperado si boicottavano a vicenda impedendo l'uno all'altro di prendere forma e di affermarsi. Avevo conosciuto a casa di Arturo (e dove, se no?) una donna affascinante e leggera, un'americana dai costumi così liberi e noncuranti che io, prima di conoscerla, nemmeno credevo che si potesse vivere così. Passavamo la notte a bere e fumare erba in una stramba ed eterogenea compagnia, finché il blu cupo del cielo si trasformava nell'azzurro grigiastro dell'aurora. Lei aveva scritto una canzone d'amore per Ali Agca, che cantava in certi locali del giro punk con un certo successo, accompagnata da un gruppo di eroinomani, i Condilomi Selvaggi. *Ali Agca doesn't love me*, diceva il ritornello. Lavorava nel campo dell'horror sexy: belle ragazze con il cranio trapanato, o infilzate sulle punte di alti cancelli di ferro. Era intelligente. Faceva solo, rigorosamente, quello che cavolo le piaceva. Com'era possibile? In realtà, era possibilissimo. Da lei ho imparato molte cose. Sotto i variopinti strati di estetica e filosofia punk, la sua personalità era sensibile e profondamente buona. Ma io avevo sempre un piede nel Mondo del Dovere. Uscivo da casa sua, dalle parti di piazza Indipendenza, e attraversando un paio di strade ero di nuovo all'ingresso della Biblioteca Nazionale. In quel momento cercavo di annullare dentro di me il ricordo della notte precedente, tutte le birre e le canne, la bandiera nera degli anarchici appesa sulla spalliera del letto. Armato del mio quaderno, tornavo a spulciare i dizionari etimologici, leggevo le interminabili storie dei cavalieri erranti e le cronache sanguinose dei comuni toscani. Ma chi ero? Per un periodo, tanta era la mia irresolutezza, mi ero fatto una ragazza anche in quell'altro mondo, un'esperta di manoscritti musicali conosciuta al bar della biblioteca, che mi suonava alla chitarra brani di Johann Sebastian Bach e mi parlava di Simone Weil. *L'attente de Dieu*, la successione dei contrappunti nell'*Arte della fuga*. Non avrebbe nemmeno potuto immaginare che si poteva comporre, ed eseguire con il rumoroso accompagnamento dei Condilomi Selvaggi, una canzone d'amore per Ali Agca. Era astemia, amava camminare e se ne stava a lungo a fare esercizi di yoga piantata su un suo tappetino di lana. Questi due universi femminili così coerenti e sicuri di sé, che frequentavo a sere alterne, erano come le valve di una conchiglia che si richiudeva intorno a me e in quel buio mi era del tutto impossibile intravedere i miei contorni. La corrente mi trascinava a suo piacimento, non avevo nessuna idea personale sul mondo. Dopo la laurea avevo iniziato il dottorato ed ero stato assunto, come ultima e volenterosa ruota del carro, nella redazione della *Letteratura italiana* dell'Einaudi, diretta da Alberto Asor Rosa, a compilare le voci e fare le ricerche di un dizionario di scrittori. Eruditi minori, autori di poemetti pastorali ed astrologici, oscuri giuristi vissuti secoli prima e dei quali mai nessuno, in molti casi, avrebbe mai più letto un rigo fino alla fine del mondo. Ero tenace, ci sapevo fare a seguire le vaghe tracce lasciate da quei polverosi fantasmi nei cataloghi delle biblioteche e nei repertori biografici. Non c'era internet, si faceva tutto con carta e penna, la memoria attiva come un muscolo ben allenato. Un po' brusco di modi, ma fondamentalmente affabile e spiritoso, Asor Rosa incarnava alla perfezione un tipo ideale, un modello di realizzazione umana: il professore e il comunista convivevano in lui come le coppie dei consoli nella storia romana. Nel quartiere dove si trovava la redazione dell'Einaudi, dominato dall'immensa mole bianca del Ministero della Marina, tra la via Flaminia e il Tevere, con le sue strade austere e poco frequentate, si respirava un clima di Realtà. Non c'è niente di meglio della Realtà, soprattutto per gente come me. Ma come Penelope, distruggevo di notte quello che facevo di giorno. O anche il contrario: perché pure la vocazione di desperado, non meno di quella del professore comunista, va coltivata con la dovuta applicazione, senza mai tornare sui propri passi. Qualunque cosa facessi, mi mettevo il bastone tra le ruote. E Arturo sempre lì a rimbrottare, a mettere il dito sulle piaghe. A un certo punto, sia l'americana che la studiosa di Bach scoprirono la mia condizione di bigamo, incazzandosi non poco, com'è naturale, non tanto per il fatto in sé, ma perché, credendo di farle contente, avevo mostrato solo una metà di me stesso. E una sera, per distrazione, avevo dato appuntamento a entrambe nello stesso cinema per vedere *Il cielo sopra Berlino* di Wenders.

Nella primavera del 1989, Arturo iniziò a brandire, con il solito atteggiamento da apostolo spiritato, un libretto rosso dalla forma vagamente quadrata. Sulla copertina, spiccavano in eleganti caratteri bianchi il nome dell'autore e il titolo

CESARE GARBOLI
Scritti servili

Sotto quel titolo ambiguo e geniale Garboli, che aveva appena passato i sessant'anni, aveva riunito alcuni saggi dedicati agli scrittori che amava: introduzioni o postfazioni di una certa lunghezza. Oggi l'arte della critica è caduta in un tale discredito, in una tale dimenticanza, che libri del genere, raccolte di saggi o articoli pubblicati in varie occasioni, praticamente non se ne fanno più, o se se ne fanno in pochi li prendono nella dovuta considerazione. Il cosiddetto «grande critico» è una figura del passato, e se ne parla allo stesso modo in cui si potrebbe parlare di un ussaro, di un cocchiere, di un campanaro: figure di un tempo irrimediabilmente trascorso. Poco sensato sarebbe lagnarsene: in genere il mondo non cambia per cattiveria, semmai rotola dove può, così lentamente che nessuno se ne accorge finché ci si rende conto che per prendere la direzione che ha preso – chissà perché – si è dovuto sbarazzare di tante cose, accollandosene tante altre. Alla fine degli anni Ottanta, era diverso. Tanto per dire, una recensione di Pietro Citati poteva cambiare la vita di uno scrittore, conferire alla sua opera la sua stessa consistenza. Roland Barthes era uno dei più famosi e venduti scrittori europei e in America un parere di Susan Sontag o di Harold Bloom faceva testo per lustri. Non parliamo nemmeno dei critici di arti figurative, di cinema o di musica. La cosa più interessante della critica è che era sì un'arte, ma insieme era un potere mondano facilmente percepibile, losco e grandioso, che si esercitava in un modo che già Balzac aveva perfettamente compreso e spiegato nelle *Illusioni perdute*.

Se non ricordo male, Arturo aveva chiesto a Garboli di raccomandarlo a Natalia Ginzburg per farle un ritratto – che poi gli venne particolarmente bene, e fu esposto nella sua prima mostra importante in Francia. Non credo che fossero diventati proprio amici, ma Arturo deve avere suscitato perlomeno la curiosità di quel grande collezionista di tipi bizzarri e intenditore di caratteri inquieti che era Garboli. Fatto sta che una notte li avevo incontrati insieme poco lontano da casa di Arturo, di fronte al colonnato circolare di Santa Maria della Pace. Era tardi, e in quella piazzetta deserta così simile a una scena teatrale – una delle meraviglie barocche di Roma – quei due uomini alti, al chiaro di luna, sembravano proprio gli eroi di una commedia classica, intenti a scambiarsi qualche informazione decisiva, o a ordire un complotto, o a sfidarsi per amore. Arturo mi presentò a Garboli con la consueta miscela di tenerezza e perfidia. Con mio grande imbarazzo, gli rivelò molti particolari della mia vita di studioso di Dante e desperado nottambulo, dilungandosi sulla catastrofica conclusione della mia bigamia, che divertì molto Garboli. Ci siamo seduti a un tavolino del bar della Pace, per continuare a parlare in attesa del sonno, contemplando la piazzetta. Indubbiamente, Roma è una città scenografica, una fontana inesauribile di vedute vertiginose e di incantesimi prospettici. Ma non c'è nulla che evochi in maniera così perfetta il teatro come quello spazio che l'architetto – Pietro da Cortona – tirò fuori dal nulla come un mago di una favola araba. Prima di sederci al tavolino del bar, Garboli ci fece notare che anche i portoni degli edifici che fanno da corona alla facciata della chiesa erano stati costruiti con una strana inclinazione, come fanno gli scenografi con le quinte per favorire la visione frontale del pubblico. Costruire una scena teatrale in mezzo alla città equivaleva a un'ardita operazione filosofica, tanto più efficace quanto meno dichiarata. Significava suggerire a chiunque passasse di lì, preso dalle proprie faccende e dai propri desideri, di essere parte di un intrigo, che attraverso una serie di complicazioni procedeva implacabile verso una catastrofe, uno scioglimento – per poi riformarsi da capo rinascendo dalle sue ceneri. A seconda di un'imperscrutabile combinazione di accidenti, un'occulta regia ci mette al centro della scena, o ci relega ad osservare l'azione dal loggione. La finzione teatrale non è una semplice rappresentazione dell'esistenza, più o meno veristica o simbolica a seconda dei tempi e dei gusti. Tutto ciò che accade è uno spettacolo. Come spesso si verificava quando percepiva un certo grado necessario di attenzione e di curiosità, Garboli aveva trasformato la conversazione in un monologo, in una specie di lezione improvvisata a cielo aperto. Ovviamente, le idee che ho riportato non ne sono che un pallido e impreciso riflesso. Ma ancora oggi, se mi capita di passare davanti a Santa Maria della Pace, soprattutto d'inverno quando è tardi, e le strade si svuotano della marea di pelandroni che affollano i locali e i ristoranti, mi afferra la certezza che tutta la vita, tutto il tempo trascorso, tutte le emozioni e le percezioni che mi hanno attraversato sono parte di una favola teatrale che non potrò mai comprendere, ma che è governata da una regia infallibile, dotata di una sua segreta lungimiranza. Di cosa si tratterà mai, di una commedia, di una tragedia? Chi lo può sapere. Quello che è certo, è che nessun pensiero, nemmeno quello della giustizia divina, ha il potere di consolare gli uomini quanto l'idea che il mondo, che pure sembra così *credibile* e trasudante di realtà, non sia che uno spettacolo, una finzione, e dunque un'illusione. Si era fatto tardi e Garboli, interrompendosi all'improvviso, mi chiese se conoscevo quel sonetto di Metastasio che iniziava *Sogni, e favole io fingo*. No, non lo conoscevo. Ma come! Per uno studioso di poesia era grave, gravissimo! Erano versi di una tale saggezza che ci si poteva meditare sopra per una vita intera... E come se non si limitasse a resuscitare i versi di un grande poeta del Settecento, ma li avesse così assimilati da trasformarli quasi in un ricordo personale, in una confessione scaturita dall'intimità, ce li recitò nel silenzio della notte.

> *Sogni, e favole io fingo; e pure in carte*
> *mentre favole, e sogni orno, e disegno,*
> *in lor, folle ch'io son, prendo tal parte,*
> *che del mal ch'inventai piango, e mi sdegno.*

> *Ma forse, allor che non m'inganna l'arte,*
> *più saggio io sono? È l'agitato ingegno*
> *forse allor più tranquillo? O forse parte*
> *da più salda cagion l'amor, lo sdegno?*

> *Ah che non sol quelle, ch'io canto, o scrivo,*
> *favole son; ma quanto temo, o spero,*
> *tutto è menzogna, e delirando io vivo!*

> *Sogno della mia vita è il corso intero.*
> *Deh tu, Signor, quando a destarmi arrivo,*
> *fa' che trovi riposo in sen del vero.*

La sensazione che mi procurarono quei versi fu come la visione di un corpo luminoso, di un fuoco d'artificio che solcasse l'oscurità che ci avvolgeva per formare, prima di dissolversi, un disegno perfetto. Nient'altro che un equilibrio momentaneo tra forze contrapposte, perché su questa terra la verità non ha una durata, è fuori dal tempo, non ci sono metodi per arrivarci e non è possibile farne tesoro. Nella mia pazzia, avevo separato il giorno dalla notte, manco fossi un nuovo Dio, assegnando al primo le mie velleità di conoscenza, e alla seconda il piacere e la dimenticanza. E invece, tutto quello che avevo letto in biblioteca non valeva i versi appena ascoltati dalla voce di quell'uomo incontrato per caso, al tavolino di un bar, nell'ora in cui anche le ultime serrande vengono tirate giù e i camion della spazzatura stantuffano come grossi animali sfiatati. Aveva ragione Garboli: quel sonetto era un distillato di sapienza, la visione di una verità suprema. Era ora di andare a dormire. Lasciammo Arturo di fronte alla porta di casa sua, a poche decine di metri da Santa Maria della Pace, e poi Garboli mi chiese di accompagnarlo fino alla sua macchina, che aveva lasciato dalle parti di via Giulia. Mentre percorrevamo strade e vicoli ormai deserti, si informò, come faceva con tutti, del mio segno zodiacale e dell'ascendente, e di altre cose che gli servivano a farsi un'idea della persona che aveva di fronte. Attraversato corso Vittorio Emanuele, ebbe un'idea improvvisa e deviando di poco dal tragitto più breve mi portò a vedere la porta della casa di Metastasio, poi raggiungemmo la macchina e prima di lasciarci tirò fuori dal bagagliaio una copia degli *Scritti servili* per me.

***

È così che ho cominciato a godere (e a volte a soffrire) della ruvida, tumultuosa, imprevedibile amicizia di Cesare Garboli. Mi pubblicò qualche poesia su *Paragone*, più come dono inaugurale che perché gli piacessero («sono un po' *stitiche*, a dirtela tutta»). Come molti della sua generazione, era un grande artista del telefono (quello fisso, si intende) e passavamo molto tempo a conversare – non è questa la parola esatta, perché si trattava più che altro di ascoltarlo, manifestando però regolarmente la propria presenza con interiezioni di assenso e opportune domandine. Quando veniva a Roma, mi portava a mangiare in un paio di posti in centro che gli piacevano. Da giovane era stato

davvero molto bello, ma mi sembrava che a sessant'anni avesse raggiunto la sua *perfect ripeness*, come dicono della frutta
e della verdura nei supermercati inglesi. Potevi odiarlo, potevi amarlo, ma era difficile restare indifferenti di fronte al suo
concentrato di fascino e prepotenza. Mi faceva sempre venire
in mente un simbolo priapesco, un *lingam* – insomma un grande cazzo eretto. Il nome Cesare esprimeva una tale concidenza
con il carattere da sembrare uno pseudonimo escogitato ad arte.
Con sublime snobismo il suo primo libro, *La camera separata*,
lo aveva pubblicato a più di quarant'anni. Come a suggerire al
mondo che si poteva fare a meno di quella forma consueta del
prestigio intellettuale che consiste nella pubblicazione di libri,
nei due decenni successivi aveva scritto molto per i giornali e le
riviste, ma a parte una raccolta di saggi su Sandro Penna, nella
sua bibliografia non ci sono titoli fino agli *Scritti servili*. Un titolo azzeccatissimo. Sul servo e sul suo rapporto con il padrone
si sono versati fiumi d'inchiostro, ma su una cosa tutti saranno
d'accordo: il servo è sempre più tenace del padrone, il tempo è
dalla sua, alla fine don Giovanni se ne va al diavolo e Leporello
è ancora lì nascosto sotto il tavolo. Nel suo saggio su Goethe,
Freud osserva che il bambino preferito dalla madre nel corso
della vita beneficia di un alto grado di sicurezza in se stesso.
Unico maschio in un'abbondante covata di sorelle, Garboli doveva verosimilmente appartenere a questa privilegiata razza di
galletti dalla cresta sventolante. Ma se non si è Goethe, queste
felici premesse psicologiche finiscono sempre per complicarsi.
Fin da quando era giovane, e viveva a Viareggio, oscuri dolori e pungenti insofferenze cominciarono a minarlo, rendendo il
suo carattere sempre più difficile. Devo dire che ai miei occhi
il tipo di realizzazione umana rappresentato da Garboli fu una
vera e propria rivelazione. In lui c'era qualcosa, certamente, del
professore – anche se aveva disertato dalla carriera accademica
appena dopo un inizio più che promettente. E c'era anche molto
del comunista, certamente. Ed era evidente che il desperado,
per rimanere al lessico di Arturo, prendeva spesso e volentieri

il sopravvento manifestandosi sia nei proverbiali scoppi d'ira sia in una profonda malinconia, un *ennui* che lo lasciava stremato ad ogni passaggio. Ma tutte queste ipostasi (il professore, il comunista, il desperado e tante altre) si erano organizzate in lui in modo da collaborare anziché confliggere, finendo in questo modo per diventare le componenti di una personalità originale e sostanzialmente imprevedibile. Credo che il grande successo di quello che scriveva dipendesse molto dal fatto che lui per primo considerasse interessanti, e intellettualmente rivelanti, tutti quei ricordi personali, quei fatti suoi, quei sentimenti irrazionali di cui infarciva ogni saggio, sposando a forza questa incontinenza autobiografica con la più rigorosa filologia.

Arturo, che raramente si sbagliava nelle sue scoperte, aveva visto giusto. In quegli *Scritti servili*, come nelle pagine di *Falbalas*, il libro pubblicato un anno dopo, c'erano pagine degne di essere inserite in qualunque antologia della prosa italiana. Anche Garboli, proprio come Arturo ma usando le parole al posto della luce e dell'obiettivo, aveva concentrato il suo talento sull'arte del ritratto. Poteva essere un rapido schizzo, inquadrato nelle misure ristrette di un pezzo per un giornale. Ma poi, cominciando ad invecchiare, aveva preso la mano, sviluppando una tecnica narrativa finissima, capace di scolpire per sempre nella memoria del lettore la persona che intendeva descrivere. Nell'evoluzione della sua prosa, non c'è nessuna precocità. Voglio dire che scriveva bene, ma come tanti altri critici della sua generazione, abituati fin da giovani a un certo ritmo, a una certa consistenza delle frasi. L'Italia è la patria della cosiddetta prosa d'arte, e qualunque cretino, fino a una certa epoca, è stato in grado di scrivere bene un articolo, o un breve saggio – non è certo quella la pietra di paragone. E come uno dei tanti, sicuramente tra i migliori, Garboli poteva proseguire per la sua strada senza forzare la mano. Ma era inquieto, curioso, ambizioso. Allo scoccare dei cinquant'anni, cambiò vita – o si illuse di cambiarla, che è la stessa cosa. Riguardo alla svolta, costruì una narrazione ripetuta innumerevoli volte, un po' sullo stile della vita dei santi. Nel maggio del 1978 era a Siena, per allestire una messa in scena del *Don Giovanni* di Molière assieme alla compagnia di Carlo Cecchi. Arrivò la notizia della morte di Aldo Moro. Finito lo spettacolo, uscendo in macchina da Siena non prese la strada per Roma, dove abitava fin da ragazzo e dove lavorava, a quei tempi, per la Mondadori. «Cambiai domicilio, come succede a quelli che escono a comprare le sigarette e nessuno li vede mai più». Che nessuno lo vedesse mai più, era del tutto falso, ovviamente. Quanto al cambio di domicilio, andò a vivere, e ci restò vent'anni, nella casa di famiglia a Vado di Camaiore, alle pendici delle Alpi Apuane. Che un trasloco diventi una specie di fatto di rilievo pubblico è ben degno del narcisismo di Garboli. Ma non è questo il punto interessante. La vita di un artista non consiste né in ciò che pensa di sé né in ciò che eventualmente vuol far credere di sé, ma – appunto – nella sua evoluzione artistica. Garboli, arrivato a un'età simbolicamente rilevante, desiderò marcare una cesura, e in qualche modo ricominciare. La maggior parte delle persone, a cinquant'anni, è troppo invischiata nella propria vita familiare, sociale, lavorativa... insomma in quella rete di faccende e frustrazioni in cui si consuma l'esistenza, rapidamente come un ghiacciolo sotto il sole. Altrimenti, molta più gente sarebbe disposta ad adottare soluzioni romanzesche. Il fatto è che lui era una persona libera, per quanto si può essere liberi in questo mondo così pieno di lacci e tagliole. Era benestante, non aveva figli: circostanze che non esimono certo dal male di vivere, ma possono renderlo a volte più malleabile, ragionevole. Prendere armi e bagagli e ripiantarsi a cinquant'anni non in un esotico altrove, ma nei luoghi dell'infanzia, luoghi di per sé abbastanza fuori mano da apparire delicatamente ma tenacemente velati di irrealtà, significa sicuramente riaccostarsi a un mondo magico, dove ogni ragnatela può essere scambiata per una scala di seta e ogni macchia sul muro per un geroglifico. Il diavolo, dicevano i nonni, fa le pentole ma non i coperchi. Ecco, le vecchie case sono le pentole del diavolo. La vita vi si rimescola unendo a tutto ciò che è stato tutto ciò che poteva essere; l'inespresso fa da eco a tutte le parole pronunciate. Quanto a Garboli, i coperchi spettavano a lui. Si rimboccò le maniche. Tempo ne aveva sprecato abbastanza, come chiunque. Aveva molte cose da fare. Laboriose spedizioni nel regno dei morti, ma non solo. Anche i vivi, non meno degli spettri, hanno bisogno di essere evocati. Sempre la vita umana, questa cosa a prima vista così amorfa ed insensata, ha bisogno di essere interrogata, decifrata – perché raramente, e solo per caso, la vita è evidente nelle sue intenzioni. Tutti i significati, per loro natura, sono significati riposti: questo è, o era, il lavoro del critico, il suo terreno di caccia.

Sento già lo spirito di Garboli ringhiare dalla tomba, ma devo essere onesto. In quell'evento così decisivo nella sua vita, così ricco di capitali conseguenze artistiche – la decisione di abbandonare Roma – il ruolo dell'assassinio di Aldo Moro mi sembra posticcio. Ma ci teneva. Una volta che azzardai qualche dubbio al telefono mi travolse con una serie irripetibile di insulti («mafioso! fascista! che ne vuoi sapere *tu*»). Una decina d'anni dopo la sua *retraite*, come la chiamano i francesi («ritiro dal mondo» si potrebbe tradurre), intervistato da Corrado Stajano per il *Corriere della Sera*, tornò a battere su questo tasto che a me suona falso – o meglio, solo esteriormente vero. D'accordo: quel terribile, infame delitto gli aveva ispirato «la certezza di essere dentro un complotto di cui era impossibile arrivare a capo». Certezza tutt'altro che assurda, e condivisa da molti, a vari gradi di consapevolezza. Come sanno anche i bambini delle elementari, la storia italiana è un accumularsi di misteri irrisolvibili. Non si viene mai a capo di nulla, e prima o poi tutti quelli che sapevano qualcosa muoiono portandosi via i loro stronzissimi segreti. Ma un sentimento del genere, per quanto fondato, ha davvero il potere di muovere qualcuno da casa sua, dalla sua città, se dentro di lui non hanno già lavorato forze più oscure, quelle che governano la vita con la cieca determinazione degli dèi tellurici? Uno dei problemi centrali della vita umana, soprattutto quando si intende raccontarla, è distinguere le motivazioni profonde da quelle di superficie, che non sono necessariamente finte, ma occultano le prime. Come tutti gli intellettuali della sua generazione, in particolare come tutti gli esponenti della laboriosa, illuminata, suscettibile borghesia rossa italiana, Garboli nutriva forti passioni e rancori civili. Ma i fili che uniscono gli eventi pubblici e le decisioni private sono molto sottili ed opinabili. È un'assurdità reagire alla sensazione di vivere in un complotto cambiando casa. La causa e l'effetto non si incastrano tra loro. Il complotto è ovunque, non è da nessuna parte. Se la fuga a Vado di Camaiore mi interessa tanto, è perché ci vedo un momento decisivo dal punto di vista della creatività, dell'immaginazione. Come ho già detto, Garboli sapeva certamente scrivere anche prima dei cinquant'anni. Ma se fosse morto nel 1978, o se quel fatidico giorno fosse tornato a Roma continuando la stessa vita di sempre, forse non avrebbe scritto tutto quello che in capo a un decennio lo rivelò come uno dei più grandi narratori del suo tempo, un impareggiabile collezionista di anime in pena, singolarissimi casi umani, destini irripetibili. E dal gran signore che era, non si prese nemmeno il disturbo di cambiare genere di scrittura, come chi, arrivato a una certa età, si mette a scrivere romanzi, racconti. No, lui faceva sempre della critica ad alto livello, della filologia accuratissima. Ed è così che nel 1982 uscì il suo primo capolavoro, l'introduzione ai *Diari* del suo amico Antonio Delfini, incontrato a diciott'anni sul lungomare di Viareggio. C'è già tutta l'arte di Garboli, in questo ritratto di un artista talmente anarchico e inclassificabile che nemmeno l'aver scritto alcuni dei racconti più indimenticabili del Novecento gli ha assegnato un posto sicuro nelle storie letterarie e nei cataloghi degli editori. Arturo, e in genere le persone che leggevano quel tipo di cose (una cerchia molto più larga, insisto, di quella che si potrebbe immaginare oggi) erano rimasti folgorati dalla conclusione del saggio, talmente citata da diventare proverbiale – *«era un uomo pieno di gioia»*. Vale la pena soffermarsi per un momento su questo celebrato finale, che contiene una preziosa lezione di scrittura. Non è né un miracolo dell'ispirazione né una furbizia, ma un esempio di grande artigianato narrativo. Il ritratto di Delfini è lungo, ricchissimo di notizie. Ma proprio un attimo prima di finire, Garboli spazza via tutto, come un monaco tibetano che distrugge il mandala che è costato tanta fatica con un gesto noncurante della mano. Vuole chiudere, ci spiega, con «l'immagine più semplice» che conserva di Antonio Delfini. E dunque: «era un uomo pieno di gioia». Ma l'immagine semplice, per essere davvero efficace, non è una petizione di principio. Quelle sei parole, in sé, non significano assolutamente nulla. L'equivoco del minimalismo, quell'idiozia del *less is more*, non c'entra niente: l'immagine più semplice te la devi conquistare scrivendo (o dipingendo, fotografando). E nasce dal suo contrario, perché in realtà non c'è nulla di semplice nel racconto della vita di un uomo, pieno o no di gioia che sia stato. E tutto ciò che Garboli ci ha detto di Delfini difficilmente potrebbe suggerire un esito così luminoso e sorprendente. L'immagine semplice scaturisce dalla complicazione del racconto proprio come la gioia è il frutto dell'infelicità della vita.

Volevo dare solo un'idea dei suoi colpi da maestro. La casa di Vado di Camaiore funzionava a pieno regime. Nel 1985 era arrivata quella formidabile invenzione che è la Cronologia di Giovanni Pascoli. Aveva scovato un grande personaggio, di titanica infelicità, degno di un romanzo russo. E scavando in quel cuore di tenebra, aveva isolato e messo sotto il microscopio il germe di quel deprimente e disperato, ma anche patetico, fenomeno storico, antropologico, psicologico che fu il fascismo italiano. Ma trovare un buon argomento è solo un decimo del lavoro da fare. Garboli calò tutta quella fremente e umidiccia materia pascoliana nel più impersonale, anonimo degli schemi narrativi: la Cronologia. Sì, proprio quelle pagine suddivise da date con i fatti salienti della vita di un autore, che si mettono all'inizio delle ristampe dei classici. Un lavoro di tipo redazionale ancora più che critico, che la maggior parte dei lettori scorre in modo rapido e distratto, soffermandosi al massimo sull'anno della nascita e su quello della morte, perché sapere quanto è campata una persona suscita un'irresistibile curiosità competitiva. Ebbene, Garboli fece della Cronologia ciò che Nabokov fece delle note di commento in *Fuoco pallido*: una forma narrativa convincente, e dunque un'immagine credibile della vita umana. Cronologia: un discorso (logos) su Crono, il peggiore dei padri possibili. Cosa fa di noi il Tempo? Ostaggi, carne divorata, gente che deperisce e cammina verso l'annientamento, un passo al giorno, senza aver imparato nulla, né fatto il minimo progresso nell'adattamento. La tragedia etimologicamente è il canto del caprone, del *tragos*, forse inteso come vittima sacrificale; più modestamente, la Cronologia è il canto del povero diavolo. C'è qualcosa di ordinario in questo canto, e dunque di ignobile. Ma il povero diavolo, a differenza del suo nobile antenato tragico, è anche il protagonista di uno strabiliante salto mortale. A momenti, imprevedibilmente, chissà perché, quel mucchietto di stecchi e cartacce avvampa nella gioia. Sì, proprio lui. Certo, i poveri diavoli si possono sempre inventare, più o meno ispirati a modelli reali, come aveva fatto Elsa Morante in *Aracoeli*, che credo sia il più bel libro in prosa italiana di fine Novecento. Garboli faceva un altro mestiere, forse simile ma basato su un fatto evidente: il mondo è pieno di poveri diavoli, come li ha fatti mamma, e in fondo non serve immaginarne dei nuovi. E poi, c'è quella particolare razza di poveri diavoli e diavolesse rappresentata dagli scrittori. Il loro fallimento, se è comune a tutti i mortali (quanta sfiga si annida in questo semplice e risaputo aggettivo: mortale, mortali) è anche particolare perché si lascia dietro un'infinità di tracce, dalle dicerie mormorate alle loro spalle agli epistolari, dalle opere con tutti i loro lapsus rivelatori ai diari, alle autobiografie. Nessuna gogna può essere risparmiata a questi mostri imprigionati in case di vetro dove non c'è più nemmeno il cesso per coltivare in santa pace qualche smilzo segreto, qualche allegra vergogna. E se riescono a sparire, come un Cormac McCarthy o un Thomas Pynchon, è ancora peggio, perché la carenza delle informazioni non rende affatto le opere libere di svolazzare lontano da chi le ha scritte, in un clima di oggettività capace di soddisfare solo i fessi. Ogni opera manifesta la vita, e la vita è una malattia, l'opera è l'ombra del malato, la sua secrezione, la sua macchia umana. L'opera è un volto, una sindone.

***

«Vado di Camaiore! Sì, *vado,* voce del verbo *andare.* Come *vado di corpo».* Chissà quante volte Garboli avrà urlato al telefono le istruzioni necessarie a chi voleva raggiungerlo. Tutti volevano vederlo[4]. Editori, registi, giovani talenti, vecchie volpi. Per essere un eremita, non gli mancava la compagnia. Avendo l'elementare accortezza di seguire i cartelli, arrivare a Vado di Camaiore era molto più semplice di quanto le stentoree istruzioni del padrone di casa facessero temere. Lui sconsigliava addirittura di chiedere indicazioni agli abitanti di quei paraggi, gente infida, capace di mandarti fuori strada. Chi fosse incline a fantasticare sul paesaggio un certo senso di avventura, ad ogni modo, lo poteva provare al momento di dirigersi verso le Alpi Apuane, lasciandosi alle spalle la vasta e popolosa pianura del litorale versiliano, orlata dalle eterne, monotone ondine rotolanti del Tirreno. Procedendo verso i primi contrafforti selvosi delle Apuane, il cambiamento di atmosfera è facilmente percepibile. Si diradano i capannoni dei concessionari, le stazioni di servizio, e quei recinti pieni di statue da giardino che nella bella stagione contemplano impassibili il traffico intorno a Viareggio e Forte dei Marmi. Ai lati della strada, i filari dei platani conferiscono ai dintorni una loro rustica nobiltà. Si scavalcano esili rivi, poco più che torrenti, su smilzi ponticelli. Sui fianchi della montagna, sempre più vicini, emergono dal folto dei boschi i campanili di minuscole pievi. Tutti i segni del passaggio del tempo, per farla breve, si diradano progressivamente, mentre sembra di inoltrar-

---

4 Vedi appendice 4.

si nello scenario ideale di un poema cavalleresco. Via via che si sale, il rustico si trasforma in selvatico e montano: Vado di Camaiore si trova proprio su questa linea di transizione. Più che appenninico, ha osservato una volta Mario Soldati, quello formato dalla cerchia dei monti (il Gàbberi, il Prana, il Pedone...) è un paesaggio alpino, «un'alpe in miniatura, da pittura o da presepe». Lasciandosi alle spalle l'abitato, dopo qualche curva si arrivava a un cancello di metallo dipinto di verde. C'era una targa, mi sembra di ricordare, sulla quale si leggeva *Ingegner Garboli* – il padre di Cesare. Non aveva niente, questo confine di proprietà, che facesse immaginare la stranezza che si trovava all'interno. Stranezza che con il passare delle ore avrebbe rivelato tutta la sua bellezza, ma a patto di trovare un punto di vista, sciogliere dei nodi come si fa con un enigma. Soprattutto se era già arrivata la sera, la sensazione era quella di essere accolti in una versione tridimensionale di un quadro surrealista – una di quelle visioni oniriche e perturbanti di un Magritte o ancora meglio di un Delvaux. Il fatto è che ti aspettavi tutte le cose che associ a una villa, a una dimora di campagna di un intellettuale. Un prato ben curato, una casa con la muratura a vista cinta di rampicanti, roba del genere. Ma a Garboli non interessava vivere in un posto da weekend, per così dire. Modo d'esistenza e ambienti circostanti erano orientati in tutt'altre direzioni che definirei morali, o metafisiche. Ho visitato le case di tanti scrittori, vivi o morti, ma non ho mai riscontrato una *congruenza* tra l'opera e l'ambiente dove è stata scritta paragonabile a quella del luogo dove Garboli visse tra i cinquanta e i settant'anni – il suo *siglo de oro*. Devo tentare, a questo punto, una descrizione. La prima cosa che colpiva e che non ci si aspettava, varcato il cancello, era una specie di lungo relitto industriale, coronato da una snella ciminiera di mattoni. Ho sempre pensato che si trattasse dei resti di un'industria tessile, finché un amico mi ha segnalato una pagina del diario di Mario Soldati del 1966, quando l'impianto era ancora in funzione: si trattava di un frantoio con tutti i locali e i macchinari necessari alla lavorazione dell'olio. Soldati descrive Garboli («alto, magrissimo, bruno, ricciuto: occhi vivi, sorriso simpatico») che lavora alla *frangitura*, un giorno di gennaio, assieme a degli operai che lo chiamano tutti Cesare. Ma negli anni tutto si ridusse a un'ermetica rovina transennata alla meno peggio, con assi inchiodate a porte e finestre e mucchi di indefinibili materiali abbandonati a marcire. Intorno c'era quello che si potrebbe definire un giardino: un poggio ricoperto da vecchi meli, due immensi platani, da uno dei quali pendeva un'altalena, un fiumiciattolo attraversato da un ponticello. Ma «giardino» è una parola fuorviante. Nel concetto stesso di giardino è implicita la mano solerte e compassionevole dell'uomo, che soccorre e protegge la vita che si svolge al suo interno. Tanto più se, come vogliono le più moderne teorie del giardinaggio, si fa di tutto per nasconderla, quella mano amica. Ciò che si vedeva intorno a casa di Garboli era più che altro una severa repubblica vegetale, dove tutto era stato piantato molto tempo prima e tutto si era adattato il meglio possibile alle dure leggi dell'esistenza. Quei meli, bizzarramente sagomati da antichissimi innesti, simili a guerrieri spartani decisi a difendere un avamposto fino all'ultimo sangue, ti suggerivano in maniera sfrontata che sarebbero durati più di te. Ho accennato a un'atmosfera da pittura surrealista. In effetti sembrava all'opera, in quei dintorni e nella forma stessa di ogni singola cosa, muro diroccato o vecchio albero che fosse, tutto un dizionario di simboli e allegorie, in attesa di qualcuno che sapesse decifrarle. Solitamente, queste configurazioni singolari di giardini o abitazioni dipendono dalla volontà dei proprietari, che in tal caso vogliono comunicare ai visitatori e a loro stessi qualche messaggio. Ma Garboli non aveva intenzioni di tipo demiurgico. Al contrario – e questa era la cosa più interessante, la profonda ragione di tutto – nessun pensiero personale si era imposto alle apparenze, ereditate dalla famiglia, levigate come ciottoli. Ci sono persone che amano abitare in luoghi dove è fortemente percepibile la presenza di fantasmi, spiriti protettivi, vibrazioni della vita degli avi. Non credo che Garboli fosse molto interessato ai fantasmi. A Vado di

Camaiore, come in tutte le vecchie case, ce ne saranno stati molti, ma lui si era rinchiuso lì in cerca di qualcosa di molto più prezioso ed impalpabile che lo spirito dei defunti: il tempo. Non il tempo che abita dentro di noi, con i suoi minuti lunghi come anni e viceversa, e nemmeno il tempo oggettivo dell'orologio, del calendario, che ci umilia senza mai appartenerci. Queste sono cose che ci portiamo dietro o ritroviamo intatte ovunque andiamo. E non si trattava nemmeno di concetti più astratti e libreschi come l'essere nel tempo. Il tempo che si era impadronito della casa di Garboli – dotato di un odore, di una consistenza materiale – è quello che di solito viene confinato nelle soffitte, nelle cantine, nei sottoscala. In tutti i luoghi dove è permesso alle cose di invecchiare in santa pace, tarlarsi, consumarsi fin quasi alla trasparenza. Ebbene, chi entrava nella grande casa padronale di tre piani, semplice nelle sue linee come poteva disegnarla un bambino, assisteva a un prodigio che difficilmente si sarebbe dimenticato. In quel luogo pieno di scale, dislivelli, fughe di stanze, ambienti di passaggio immersi in un'eterna penombra, quella forma prolungata di caducità che è l'usura si era impadronita di tutto. Non era una casa sporca, niente affatto. Era semmai una casa che si era trasformata da cima a fondo – prodigio degno di Lewis Carroll – nella sua soffitta. Il logorarsi delle cose, in fondo così simile al logorarsi umano, non era nascosto e rimediato come una vergogna. Se il tessuto di una poltrona aveva continuato a scolorirsi ogni giorno a causa della luce del sole, non c'era nessun motivo per intervenire; se il vetro di una finestra si incrinava dividendosi in due parti disuguali, non per questo gli era impedito di svolgere le sue delicate mansioni di intermediario tra l'interno e l'esterno. Tutto ciò che era in quella casa, dal tubicino di plastica attaccato al lavandino della cucina alle fotografie ingiallite assemblate nelle cornici sbilenche, esprimeva il senso di una profonda, senescente dignità, di una bellezza tarlata e odorosa di fato.

Sono certo che anche per chi l'ha frequentata molto più di me la casa di Garboli sia difficile da ricordare con precisione. Era una vera inflazione onirica di angoli, di punti di vista, di percorsi tortuosi. Nessuno potrà più fare una verifica, ad ogni modo, perché Garboli, alla fine degli anni Novanta, abbandonò e smantellò quel luogo così unico al mondo, come se volesse far perdere le sue tracce a un nemico invisibile e tenace, per andare a vivere prima a Firenze e poi in un posto decisamente anonimo, una casa alla periferia di Viareggio ricavata dai locali di una pizzeria, circondata da strade trafficate. Ma prima che tutto venisse risucchiato nel gorgo inaffidabile dei ricordi, Giosetta Fioroni ne ha ricavato una specie di quintessenza, rinchiudendola nelle pagine di un libro in tutti i sensi raro e prezioso, intitolato *Dossier Vado. Ricordi figurativi della casa di Cesare Garboli*. Sono fotografie e disegni a china che fanno pensare a un salvataggio, a qualcuno che sia arrivato appena in tempo per afferrare e conservare qualcosa che si stava facendo sempre più evanescente e a corto di futuro. La casa e gli ambienti circostanti, assieme al suo padrone ritratto in vari momenti della giornata, si sono trasferiti nelle pagine del libro come anziani e fragili ospiti di una nave in procinto di affondare sistemati su una scialuppa. E a partire dalla prima pagina, dove giustamente si vede l'entrata con la porta a vetri, è possibile, semplicemente sfogliando l'opera di Giosetta Fioroni, aggirarsi con la mente nelle stanze, dare un'occhiata al giardino da un finestra del secondo piano, oppure esplorare gli ambienti del vecchio frantoio in rovina. L'immagine che preferisco è quella del lavello in cucina, con il piccolo pensile in ceramica suddiviso in tre vaschette – SAPONE, SODA e SABBIA. Appena sopra il rivestimento di piastrelle, umilissimi rettangoli bianchi, si vede la locandina (attaccata al muro senza cornice, come per strada) di uno spettacolo del teatro Niccolini: *Il misantropo* diretto da Carlo Cecchi e tradotto da Garboli, andato in scena nel 1986. Sovrapposto alla base del manifesto, un foglietto con un (saggio) avvertimento vergato in una calligrafia nitida ed elegante: «non pulire mai la macchinetta del caffé dentro al lavabo». Mai! Sulla sinistra una finestra aperta, con gli infissi di legno tutti scrostati e i vetri sorretti da spesse cornici di stucco, fa entrare l'aria e la luce di un giorno di primavera. Non posso giurare che lo tenesse sempre lì, ma sul vetusto frigorifero di quella cucina ho visto più di una volta un prontuario astrologico, di quelli che servono a stabilire l'ascendente sulla base del giorno e dell'ora di nascita. Nell'introduzione al suo libro, Giosetta Fioroni esprime un'idea importante, frutto di una percezione sottile del luogo, che potrebbe spiegare il fascino che quella casa esercitava su ogni tipo di visitatore: «l'atmosfera di questi ambienti, il mutare della luce, gli scorci allineati delle varie camere assumono automaticamente quella valenza epifanica che sta alla base dell'idea di teatro». Questo teatro, secondo Giosetta Fioroni, è fatto di due cose: la prima – ne ho già parlato – è il tempo, la cui opera è «visivamente palpabile» in ogni angolo. Ma vi si aggiunge un gesto mentale, o meglio un non-gesto di sapore taoista, «l'idea di non toccare nulla, di stabilire un'assoluta immobilità di tutte le cose». Tutto vero: ma a patto di riuscire a immaginare un teatro *silenzioso*. Non perché Garboli fosse quello che si definiva una persona schiva. Con prepotenza, in un modo o nell'altro, si imponeva all'attenzione di chi gli stava vicino. Aggressivo o seducente che fosse, non passava mai inosservato, non ce la faceva.

Questa sfera d'esistenza, fonte di innumerevoli aneddoti sul suo carattere impossibile, era a sua volta una forma di spettacolo, visibile e rumoroso, che esaltava il lato istrionico del carattere, da provocatore impenitente e flagello degli ipocriti, dei timorati. Altra cosa però era il vero teatro, quello intuito da Giosetta Fioroni mentre esplorava la casa di Vado – quel teatro i cui ingredienti erano il tempo e l'immobilità delle cose. Era lì che si manifestava l'oggetto della scrittura, inseguito durante i giorni passati a raccogliere, selezionare, interpretare tracce. La vita, e il suo segreto di Pulcinella. Ovvero l'assoluta mancanza di significato, la consistenza di delirio, l'illusorietà di ogni singola esistenza trascorsa in questo mondo.

LINEAMENTI

Roma, 30 dicembre 2017

Un ventaccio che viene da nord, rabbioso e pungente, ha lacerato la coltre delle nuvole, scoprendo qualche limpida stella invernale nella volta del cielo disertata dalla luna. Alla fine di via del Corallo, lo slargo di piazza del Fico è stranamente silenzioso e deserto, vuoti e fradici di pioggia i tavolini del bar dove di solito si assiepano i giocatori di scacchi. Invece di resistere al freddo e alla stanchezza, è bene farsi completamente conquistare da queste due divinità propizie, accoglierle sotto i vestiti e poi sotto la pelle, non c'è niente di male nell'essere stanchi e nell'avere freddo, è per questo che vale sempre la pena camminare quando il tempo è brutto e non c'è nessuno in giro, il pensiero si assottiglia acquistando la sua lucidità, l'anatomia finisce per prevalere sulla psicologia. Noi viviamo in una specie di sacro timore, di eccessivo rispetto per la cosiddetta vita interiore, ci curiamo poco della digestione e della respirazione, tanto per fare un esempio, sembrano cose che non ci riguardano, meglio non pensarci affatto perché significa che tutto va bene, la nostra attenzione è sempre rivolta alla cosiddetta vita interiore, a una serie di fatti opinabili come l'innamorarsi o l'essere allegri senza i quali si può benissimo andare avanti, mentre non si può andare avanti senza bere e pisciare, o senza mantenere la pressione del sangue entro dei limiti accettabili.

Così che alla fine ci illudiamo di essere venuti al mondo per provare delle emozioni e tentare di descrivere a noi stessi e al prossimo tutte queste delicate e impalpabili fibrillazioni e sfumature dell'umore. E visto che non siamo nemmeno capaci di comprendere chi siamo, quali limiti si impongono al nostro desiderio, cosa diavolo intendiamo quando ci riferiamo a noi stessi, abbiamo del tutto svalutato l'unico timone che poteva aiutarci nella tempestosa navigazione a cui siamo condannati, cioè la nostra coscienza, riducendola a uno strumento del tutto servile, infarcito di idee banali e di antichi timori, incapace di renderci felici. Se solo ci fosse qualcosa di meglio a disposizione, ci rinunceremmo senza rimpianti, alla povera coscienza e ai suoi prosaici calcoli. Semmai, è all'inconscio che volentieri tributiamo un rispetto che sconfina facilmente nella venerazione e nella superstizione. Lui sì che capisce tutto, lui sì che sa la verità. Se non siamo in grado di comprendere i capricci di questo bambino viziato, acquattato nell'ombra, siamo fottuti. Già, ma il bello è che lui non si degna nemmeno di esprimersi in maniera diretta. Ci devi sempre pensare tu, a capire i suoi scherzi da prete: che siano sogni da decifrare laboriosamente, dimenticanze, atti mancati, parole sbagliate. Ci gode, il piccolo delinquente, il teppistello degli abissi, a parlare difficile. Proprio come quelle persone insopportabili che a forza di riempire i loro discorsi di allusioni e di metafore finiscono per risultare noiose e inutilmente oscure al prossimo. Perché è proprio questo il punto: *l'inconscio è un cretino*. Che si tratti di un cretino individuale o di un cretino collettivo, a seconda delle correnti di pensiero che se ne occupano, come tutti i cretini è solo buono a complicare un'esistenza già difficile e sottoposta a innumerevoli pressioni e necessità, senza nessun bisogno di covare nell'ombra le sue inutili fanfaronate, prima tra tutte quella storia di andare a letto con la mamma e uccidere il papà, storia che dovrebbe bastare da sola a far capire con chi abbiamo a che fare quando parliamo dell'inconscio e dell'inspiegabile benevolenza di cui gode. Ma tutti i suoi stucchevoli giochetti possiedono lo stesso sapore goliardico, la stessa prepotenza da sociopatico, la stessa sostanziale mancanza di credibilità. Tanto per dirne una, ci viene spiegato con abbondanza di esempi che per lui, l'indomabile cretino, che una cosa accada o che, pur potendo accadere alla fine non accada, è esattamente la stessa cosa. E un'altra caratteristica che gli ottiene la simpatia delle classi agiate e degli intellettuali è la sua ignoranza delle norme più elementari della logica, così che per lui una certa frase può essere vera e falsa nello stesso tempo, e pacchianate del genere. Nella sua impunità, lui può mischiare a piacimento tutte le carte, il prima e il dopo, il sopra e il sotto, e tutti ad applaudire, a compiacersi, che bella cosa, ma che *enfant prodige*, facciamo un brindisi. Nel frattempo la povera coscienza, senza che nessuno si degni nemmeno di ringraziarla, sta lì a rassettare come una vecchia serva a cui nessuno presta più attenzione, che nessuno ringrazia per la fatica di mandare avanti dignitosamente la baracca. Non va di moda, non ispira filosofi o pittori, e nel tempo si è acquistata una fama immeritata di ottusità, di grettezza. Percorrendo via della Pace e poi via di Tor Millina in direzione di piazza Navona, dopo aver gettato un'occhiata sulla sinistra alla facciata di Santa Maria della Pace, mi sorprende l'improvvisa animazione. Finita la pioggia, i turisti hanno ripreso a vagabondare nelle vecchie strade, a studiare i menù degli innumerevoli ristoranti, a decifrare le cartine prese in albergo. I più anziani già cenano, coppie silenziose e vagamente perplesse di fronte al loro piatto di spaghetti alle vongole, chissà perché queste gite invernali a Roma, a giudicare dalle espressioni sconfortate, sembrano sempre sul punto di trasformarsi in una penitenza se non in una catastrofe, una manciata di brevi giorni e lunghe notti di cui ci si riporterà a casa un'impressione mista di fatica e rischio imminente. Come se invece di una città si fossero visitate le fauci di un'enorme bestia addormentata, le zanne incrostate di cibo in decomposizione secolare. Nell'inconscio, a ben vedere, non c'è bellezza, non c'è poesia. La cosa che mi sembra più ammirevole, nella vita e nell'arte di una persona come Amelia Rosselli, è il resistere della coscienza alla forza contraria che senza tregua la insidia e finisce per travolgerla. La durata di questa resistenza è lo spazio vitale del verso, del canto. L'opera come un delicatissimo castello di carte, una pagoda di stecchini edificata nell'occhio del più violento dei cicloni.

***

Per confonderle definitivamente le idee, i persecutori hanno utilizzato varie «personificazioni», scrive Amelia Rosselli nella *Storia di una malattia*. Particolarmente efficace, per un certo periodo, sembra essere stata quella di Richard Burton, accompagnato da un suo «gruppo cineastico».

Nell'estate del 1975, la seguono a Malta, dove è andata per una vacanza assieme a degli amici. Sulla via del ritorno, in una stanza di albergo a Paola, in Calabria, Amelia sente distintamente due voci italiane che immagina appartenere a «carabinieri mafiosi dell'Ufficio Politico». Sono preoccupati per la loro sorte, nel caso si venga a sapere che lei si è innamorata di Richard Burton.

Quando la situazione diventa insostenibile, lei minaccia di denunciarli tutti – «in quale loco non mi era ben chiaro», peraltro.

***

good good good good good

GOOD

Nell'estate del 1979, quando Amelia Rosselli apparve sul palco del festival di Castelporziano, con i capelli corti e un leggero vestitino estivo, aveva già dieci anni di guerra contro la CIA sulle spalle magre. Una guerra che mai avrebbe potuto vincere, su questo non nutriva nessuna illusione. Sembrava una bambolina fragilissima, tirata fuori dal fondo di un armadio, imbottita di crine rinsecchito. Era già notte quando impugnò il microfono, le dune alle sue spalle e la folla di fronte che riempiva lo spazio della spiaggia fino al mare scuro e immobile. A quindici anni non sapevo nulla di poesia, ero lì per caso, trascinato da una mia amica più grande, che voleva vedere da vicino Allen Ginsberg, a quei tempi l'hippy più famoso del mondo. Non avevo nessuna idea del fatto che quel festival sarebbe a lungo durato nella memoria come un fatto leggendario, l'equivalente di Woodstock nella storia della poesia italiana del Novecento. Il nome di Amelia Rosselli, però, quando fu annunciato, non mi suonava affatto nuovo, fin da quando ero un bambino ne avevo sentito parlare a casa, sempre circondato da un'aura di stranezza e di minaccia. Era stata, in un oscuro passato, un'amica di mio padre. Tra i tanti nomi che i bambini sentono pronunciare nei discorsi degli adulti, quello mi era rimasto in testa per un motivo ben preciso. Il fatto è che una volta avevo sentito mia madre raccontare a qualcuno un fatto che mi era rimasto impresso. Un giorno, quando ero appena nato, Amelia era venuta a casa nostra per vedermi. Mi aveva preso in braccio, accostandosi a una finestra aperta. E mia madre, che evidentemente odiava quella donna, era stata afferrata dalla certezza che stesse per buttarsi dal quarto piano portandomi con lei. L'istinto di difendermi era prevalso su ogni altra considerazione razionale, e mi aveva strappato dalle braccia dell'estranea a costo di sembrare scortese o peggio ancora. Tutto qui. Sono cose che capitano, immagino, a una donna che ha appena partorito il primo figlio e sviluppa un particolare, ferino senso del pericolo che può tradursi in gesti apparentemente incomprensibili. Però se ne era ricordata a distanza di anni, ed è così che anche io ero venuto a conoscenza di quel frammento di memoria abbastanza insignificante, a conti fatti. Si sa che i germi di tutti i futuri racconti si radicano nei bambini in modo del tutto misterioso, e per mille cose che dimenticano appena dopo averle ascoltate una comincia a fermentare dentro di loro, trasformandosi in una fantasia complessa, dotata di un'inesauribile capacità di riproporsi alla mente, di caricarsi di significati imprevedibili. È così che quel volo dal quarto piano in braccio ad Amelia Rosselli, presagito dall'immaginazione di mia madre, diventò un sogno ad occhi aperti, la cui componente essenziale era quella dell'essere ghermito, rapito, trascinato nell'aperto, fatto certamente angoscioso, ma non solo angoscioso, anche allegro, speziato dal senso dell'avventura e della sfida, tanto più che mai e poi mai ci spiaccicavamo al suolo, come aveva presagito mia madre, ma andavamo su e giù, godendo di un pericolo che tutto sommato era il finto pericolo delle giostre e delle montagne russe. Dell'amica di mio padre, della famosa poetessa, nella fantasia ricorrente non esisteva che il nome, *Amelia*, inevitabilmente associato all'unica Amelia che mi fosse familiare, ovvero l'eterna nemica di Paperone, la fattucchiera che ammalia, con la sua casa nascosta sulle pendici del Vesuvio.

Per arrivare fino alla spiaggia di Castelporziano da Roma si prendeva il trenino per Ostia, che arrancava verso il mare con i suoi vagoni sempre strapieni e scalcagnati. Usciti dalla stazione, si procedeva in linea retta verso gli stabilimenti, attraversando uno spiazzo, una specie di giardino pubblico. Su un muro, sbiadiva lentamente al sole e alle intemperie una grande scritta a vernice nera, un verso del ritornello di *Brain damage* dei Pink Floyd, tipico arredo urbano da tossici:

I'LL SEE YOU ON THE DARK SIDE OF THE MOON

Non avevamo avuto bisogno di chiedere la strada per il festival, io e la mia amica. Era bastato accodarsi alla marea umana che, scesa dal treno, si incamminava verso il litorale e poi proseguiva a sinistra, in direzione delle dune. Pochi luoghi erano così malfamati come quei monticelli di sabbia ricoperti da grandi cespugli di mirto e ginepro, frequentati a ogni ora del giorno e della notte da una variegata e ingegnosa fauna di pervertiti, puttane, guardoni, malfattori. Siamo arrivati che il sole aveva iniziato a tramontare, affondando nella bruma sospesa sull'orizzonte. Correva voce di un incidente tra due navi, al largo, forse una collisione, un grosso guaio.

Per capire la profonda emozione che la brevissima performance di Amelia Rosselli poteva suscitare anche in un ragazzino ignaro di tutto come me, bisogna tenere presente che la situazione, ben prima che arrivasse il suo turno, era degenerata in una specie di turbolenza psichica collettiva ingovernabile. Non era mai capitato, né mai sarebbe capitato in futuro, un fatto del genere. A farla breve, i poeti invitati ad esibirsi, soprattutto i poeti italiani previsti nel programma della prima notte, erano costretti ad affrontare, se se la sentivano, un pubblico ostile, incapace della minima attenzione, intenzionato solo a zittire e umiliare chiunque gli si presentasse di fronte. Fossero anche apparsi Dante e Shakespeare, sarebbero stati trascinati nel gorgo di quella sfrenata, incomprensibile, imprevista pazzia. Una parte consistente di quella marmaglia di scoppiati si era accampata sul palco stesso, che nel giro di poco tempo si sarebbe imbarcato finendo per crollare sulla sabbia della spiaggia. Cosa intendevano contestare? Il ruolo sociale del poeta? I suoi privilegi materiali e simbolici? L'esistenza stessa di un criterio distintivo come il talento? A posteriori, si può sempre analizzare il comportamento di una folla, e attribuirle un pensiero, una qualche forma di intenzione. Ma in una folla, nel momento in cui si scatena, non esiste nessuna intenzione e nessun pensiero. Ogni individuo che si mischia a una folla cede, più o meno volentieri, una parte consistente della propria libertà e della propria responsabilità, ricevendo in cambio la forza bruta dell'anonimato, l'oscura energia dell'unanime. Ognuno crede di essere più forte, di poter retrocedere al ruolo di testimone, di sfilarsi riacquistando la propria sovranità, ma il peggio, in una folla, è già sempre accaduto. Devo anche dire che, stando il mezzo al mucchio, la cosa poteva essere divertente. Uno dopo l'altro, come in quelle fiabe in cui i pretendenti alla mano della principessa falliscono la prova e fanno una brutta fine, i poeti si presentavano per perdere quell'impossibile braccio di ferro. Cominciavano a leggere i loro versi, districandosi dalla folla dei contestatori, e nel giro di pochi secondi dovevano rinunciare. Oppure continuavano imperterriti, sommersi dai fischi e dai cori goliardici, finché uno dei mentecatti gli toglieva il microfono di mano. C'era una ragazza che spiccava tra gli altri, la si può vedere a lungo anche nel film di Andrea Andermann sul festival. In bikini nero e maglietta bianca, animata da un turpe esibizionismo, si era arrogata il ruolo di portavoce, di rappresentante della contestazione. Interrompeva tutti, biascicava domande insensate, esercitava un presunto diritto di parola al quale non corrispondeva nulla di reale da esprimere. Una figura decisamente profetica, a ben vedere: solo gli imbecilli in effetti hanno il potere di anticipare, nei loro pensieri come nei loro comportamenti, il peggio che verrà. E i poeti, impararono qualcosa da quel bagno nella moltitudine? Erano tutti più o meno giovani, era una notte d'estate del Novecento. La più intelligente, senza dubbio, fu Dacia Maraini, che fece una vera e propria finta: aprì la bocca come se volesse iniziare, ma un attimo prima di essere sommersa dai lazzi rinunciò, prendendo tutti in controtempo – avete ragione voi, disse, la poesia non serve a nulla, buonanotte. Un colpo magistrale. Ma qualunque fosse la strategia adottata, l'errore di fondo era identico, ci cascavano tutti: volevano interagire con quella gente, instaurare una relazione. È per questo motivo che l'apparizione di Amelia Rosselli, a notte ormai inoltrata, quando la baraonda era diventata ingovernabile, rappresentò un vero dislivello, il manifestarsi di un piano di realtà totalmente diverso e inconciliabile con le circostanze. Non nego che il gregge umano abbia bisogno di conformità, e la singola pecora fa bene a tenere presente ciò che fanno gli altri. A che altro servono i neuroni specchio, il linguaggio, l'educazione? Ma esistono anche i caratteri *inviolabili*, come il vertice di una montagna scoscesa, circondato da nuvole in tempesta. *Una poetessa, un'anima in pena*. L'ago magnetico di queste persone è sempre puntato al di là delle apparenze immediate: la sua punta trema nel vuoto sidereo dell'inconcepibile, dell'impercepibile. Tutto il loro modo di essere ci induce a pensare che la vita non si risolve... nella vita!, che i conti non tornano mai: e questa potrebbe essere una buona definizione del sentimento del sacro. Come un reagente chimico appropriato, fu la stessa situazione del festival, degradata oltre ogni limite, a rendere evidente a tutti che quella donna dall'aspetto fragile e frastornato, con l'aria di avere imboccato la porta sbagliata, quella dinoccolata Mary Poppins, quell'elfo nella canaglia, incarnava un assoluto. So che un severo studioso storcerebbe il naso di fronte a una simile conclusione, ma io sono convinto che un vero poeta, o una vera poetessa, siano qualcosa in più della loro opera, della somma aritmetica dei loro libri e dei loro versi, e che quell'opera è la diretta conseguenza, la manifestazione concreta sia della loro vita che della loro incapacità di vivere. Nella sua essenza più profonda, la poesia è la forma suprema della biografia. Al contrario, le epoche di mediocrità letteraria sono caratterizzate da una generale estraneità delle opere all'esistenza che le produce. Non si tratta necessariamente di libri brutti, ci mancherebbe, sempre si scrivono bei libri, ma di libri che potrebbero, con minime differenze, essere stati scritti anche da altre persone, tanto in loro è prevalente il carattere di «prodotto», e tanto la vita che ne è il presupposto si riduce a una «carriera». Dunque incontrare fisicamente un grande poeta è un'esperienza illuminante, una grande fortuna, una cosa che dovrebbe accadere almeno una volta nella vita, come vedere un cucciolo di giraffa tra le zampe della madre, ascoltare dal vivo un maestro del piano o del violino, fumare dell'oppio, annusare la pelle di un neonato.

Come accennavo, quello stato di eccezione ambulante che era Amelia Rosselli si rendeva tanto più palese – nella sua bellezza, nella sua insubordinazione, nella sua selvaggia autenticità – quanto più era circondata, come quella notte sulla spiaggia di Castelporziano, dal più brutale conformismo, dall'ignoranza più compiaciuta di sé. Avete presente la vecchia storia dell'albatro di Baudelaire? Beh, è un'allegoria memorabile, ma la verità è un'altra. Il grande uccello, una volta catturato dai marinai, perde solo in apparenza la sua regalità. Il ponte della nave, e tutte le umiliazioni che subisce, sono il suo *vero cielo*, il luogo del suo trionfo. Accanto ad Amelia Rosselli, al posto della ciurma sadica della poesia di Baudelaire, c'era un tizio barbuto totalmente sbronzo, avvolto in un lenzuolo che periodicamente spalancava per mostrare il cazzo floscio, tra ovazioni entusiaste. Ma a lei, di tutto questo, non importava nulla. Era lì perché qualcuno le aveva chiesto di leggere le sue poesie, sicuramente dietro un compenso che chiedeva sempre – poche lire di sicuro, ma preziose nella sua economia da profuga. Aveva scelto una poesia dalla sua terza raccolta, *Documento*. Il microfono esaltava il timbro inconfondibile della sua voce – «voce calda, tenera, aspra, spietata», come ha scritto Elio Pecora, «tastiera d'organo, viola vibrante, flauto avanzante in un'Erebo sconfinato, viatico amabile e doloroso». La cosiddetta «realtà» è una stratificazione infinita di realtà particolari, e la più grande consolazione della vita consiste nel rendersi conto che in qualunque situazione possono coesistere dimensioni inconciliabili dell'umano, forme di grandezza imperturbabili, regni che nessuno può violare come quello delimitato dalla voce di Amelia mentre leggeva la sua poesia. La mentecatta in maglietta e bikini, anche se sembrava intimidita, non la risparmiò. Impadronitasi del microfono, cominciò a porle qualche insulsa domanda, come fai a scrivere così, come fai a sentire le cose in questo modo. Più alta di una spanna, Amelia si piegò verso di lei, come per capire bene, con un gesto per lei naturalissimo di gentilezza. Ma in quel clamore sguaiato, non c'era nessuna possibilità di comunicazione. Della gente che le stava intorno, del perché si comportassero così, non capiva assolutamente nulla. Non più di quanto la mezza luna alta nel cielo di giugno poteva capire di un festival di poesia sulla spiaggia di Castelporziano. I suoi versi si erano consumati rapidi come un fuoco di sterpi, e nell'aria ne rimaneva uno spettrale chiarore, un'insondabile vibrazione.

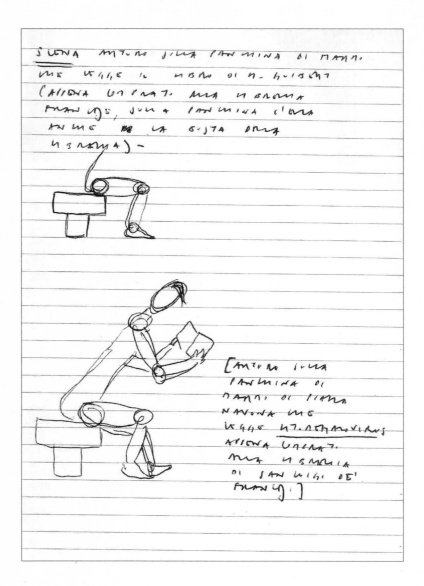

Piazza Navona è piena dei soliti chioschi che ci sono in questi giorni fra l'otto dicembre e la Befana – le statuette per i presepi, il tiro a segno con gli orsacchiotti in premio, le mele ricoperte di cioccolato, le macchine dello zucchero filato. All'estremità della piazza, dalla parte di palazzo Braschi, i cavalli e i delfini di una giostra si inseguono ruotando su un asse scintillante di specchi e lustrini, non esiste un'immagine della vita umana e del suo posto nel cosmo più fedele di una giostra, nemmeno le grandi cattedrali gotiche con le loro simmetrie sapienziali possono pareggiare questo emblema rotante, nemmeno le piramidi, l'uomo che ha inventato la prima giostra doveva essere il figlio di un dio, il più illuminato degli illuminati, tu guardi una giostra vuota una sera d'inverno e quello che vedi è il tempo, il Grande Invisibile che si mostra, un moto circolare, qualcosa di gratuito e scintillante, senza meta, una specie di scherzo, ma uno scherzo di quelli che ci ridi e ci rimani pure male, cos'altro significa stare in groppa al cavallino, qualcuno ci ha messo lì sopra e non siamo mai scesi, pensavamo di esserci lasciati l'infanzia alle spalle ma non facciamo che galoppare verso l'altra infanzia, quella *vera*, niente scorre via, tutto torna, gira e torna, op op op cavallino.

***

Fino al pomeriggio in cui l'ho incontrato per caso seduto su una delle panchine di marmo bianco che orlano il perimetro interno di piazza Navona, esattamente quella in prossimità della Corsia Agonale, non lontana dalla Fontana dei Fiumi, che da quel giorno per me è diventata la Panchina di Arturo – fino a quel pomeriggio non sapevo nulla della sua malattia. La peste, è vero, infuriava già da molto tempo. Si accampava nelle zone più delicate della coscienza, proprio lì dove il desiderio e la paura si avvitano fino all'indistinzione. L'aids, che di per sé esisteva da secoli, e non era certo uscito dal laboratorio di uno scienziato pazzo, si era accontentato per tanto tempo di un numero talmente esiguo di vittime che nessuno aveva sospettato la sua esistenza. Come i serial killer più resistenti, quelli che muoiono nel loro letto senza che nessuno sia riuscito a beccarli, era discreto e anonimo. Quella che gli scienziati avrebbero definito la sua natura «opportunistica» gli permetteva di manifestarsi attraverso un ventaglio di sciagure che nessuno poteva collegare a un principio unico: polmoniti, sarcomi, guasti del sistema nervoso, si serviva di tutto. Per sferrare il suo attacco e mettere in ginocchio il mondo, aveva aspettato l'epoca di maggiore promiscuità sessuale mai conosciuta dalla storia umana. La corrente calda di turgidità e lubrificazione che percorreva le città e allagava le notti si trasformò nella sua grande occasione. Tutto andava a suo vantaggio: il ritmo della disco music, le regine e i superdotati del porno, la coca e l'alcol, i viaggi economici, la semplice certezza di essere giovani e vivi, una notte d'estate in un mondo sul quale Dio stesso, stufo di sé e delle sue colpe del cazzo, sembrava aver deciso saggiamente di chiudere un occhio. È lì che il maledetto retrovirus piantò le sue radici per gettare la maschera discreta tanto a lungo indossata, e rivelare i suoi piani megalomani di annientamento. Tutto questo lo sapevamo, si può dire che la storia dell'epidemia è sempre stata la storia di quello che si sapeva e di quello che si sarebbe dovuto sapere, così come fin da subito era

152

stato palese che gli omosessuali come Arturo erano più esposti al pericolo, non perché omosessuali, ma a causa della straordinaria ricchezza della loro vita sessuale, che da sempre è stata meno impacciata di quella degli etero, più casuale e avventurosa, e anche più ruvida e per così dire più intima, con tutte le lacerazioni del sesso anale, i giochi, i gruppi, le saune, le intese rapidissime, l'assenza di preoccupazioni legate alla gravidanza che rendeva del tutto inutile l'uso del preservativo. Nemmeno una rapida presa di coscienza della situazione poteva mettere del tutto al riparo le persone, perché quel demonio era capace di rimanere acquattato nell'organismo per molti anni prima di iniziare a devastarlo, facendogli pagare piaceri ormai dimenticati o sepolti in qualche anfratto remoto della memoria, nell'album innocuo delle follie di gioventù. Allegri viaggetti ad Amburgo o a San Francisco o ad Haiti che si trasformavano nelle oscure premesse di tragedie ineluttabili.

Non ricordo il motivo per cui stavo attraversando piazza Navona, quel giorno d'inverno. Ero ancora distante una decina di metri quando mi sono accorto che l'uomo seduto sulla panchina di marmo era Arturo. Mi ero fermato ad ammirarlo. Era una di quelle persone geneticamente predisposte all'eleganza delle posture, dei gesti. Non lo vedevi mai fare nulla di volgare o di eccessivamente affrettato, ma questo non toglieva nulla – qui stava il bello – alla sua spontaneità. La schiena leggermente inclinata, i gomiti sulle ginocchia, teneva in mano un libro. Il profilo perfetto, da moneta antica, era coronato dal solito ciuffo abbondante ripiegato sulla fronte. Leggeva con tanta intensità che la sua concentrazione si percepiva materialmente, come una guaina di silenzio che lo separava dagli innumerevoli rumori della piazza. Era lì, certo, seduto sulla panchina, ma nello stesso tempo era lontano, irraggiungibile, nel punto di fuga di una prospettiva siderale. Era bellissimo. Una delle proprietà, o per meglio dire delle conseguenze più notevoli della bellezza è un rapporto particolare con lo spazio circostante, che ne viene letteralmente saturato, come se le tre dimensioni fossero lì apposta per contenerla senza eccesso e senza difetto. Fosse stato ai giorni nostri, gli avrei fatto una foto con il telefonino, sperando che non si voltasse verso di me proprio in quel momento. Ma non c'era nessuna possibilità del genere, e così ho tirato fuori dalla tasca uno dei quadernetti che mi porto sempre dietro e su due piedi ho disegnato un piccolo e rozzo profilo di quella figura così nobile e assorta. Molti anni dopo, ho ritrovato casualmente il taccuino, e guardando il ritratto del mio amico, quel ritratto del ritrattista di cui mi ero totalmente dimenticato nel frattempo, ho pensato che con quei rapidi colpi di penna avevo catturato l'immagine di un essere umano – come dire? – ghermito dal suo fato.

Visto che non si distoglieva nemmeno un secondo dalla lettura, e invece che su una normale panchina lo si sarebbe detto appollaiato in cima alla sua concentrazione, mi ero deciso a sedermi accanto a lui, con l'intenzione di fargli uno scherzo quando si fosse riscosso. C'era, tra noi, il sacchetto della libreria francese, che sta ancora oggi a pochi metri di lì, oltre corso Rinascimento, accanto alla chiesa di San Luigi, dove in certi pomeriggi d'inverno, quando non c'era quasi nessuno, con una scorta di monete per le lampade a tempo, andavamo a vedere la *Vocazione di san Matteo* di Caravaggio, quel covo di brutti ceffi all'improvviso sommerso da un'onda di luce che Gesù sembra scagliare con il movimento quasi impercepibile della mano tesa verso il fondo del tugurio e il suo prescelto. Dunque – ricordo di aver pensato – sta leggendo qualcosa di così importante da essersi fermato su questa panchina, che è esattamente a metà strada fra la libreria francese e casa sua? Ed è stato in quel momento che ho fatto caso al titolo dello smilzo libretto che Arturo teneva fra le mani.

HERVÉ GUIBERT
Cytomégalovirus
Journal d'hospitalisation

Anche se non l'avevo letto, sapevo tutto di quel libro terribile, di quel diario d'ospedale scritto da Hervé Guibert all'inizio dell'autunno del 1991, e pubblicato pochi mesi dopo che era morto, a dicembre di quell'anno. È un quaderno di brevi appunti, rubati alla stanchezza e alla disperazione: ritratti di medici e infermiere, frammenti di pura angoscia, note sul gergo ospedaliero, ricordi che affiorano alla coscienza. Sfidando il pericolo concreto di perdere la vista (è questa la causa immediata del ricovero) Guibert sembra affinare lo sguardo come fosse il filo di una lama da affondare nell'oscurità, nel grande mare insondabile che ha davanti a sé. Di tutti i libri sull'aids di questo eroe della scrittura in prima persona, di questo estremista del narcisismo, *Cytomégalovirus* è senza dubbio quello che si è spinto più oltre, e non solo per le circostanze terminali in cui è stato scritto. Leggiamo queste pagine come se calpestassimo un terreno arido e friabile: qualcosa di simile all'argilla disseccata, o a un giacimento di detriti organici: conchiglie in frantumi, ossa calcinate. Quello che resta, quando tutto il superfluo si è volatilizzato. Giusto: ma la vita, il piacere, la bellezza stessa non sono forse tutti sinonimi di ciò che è superfluo? Cosa possiamo supporre di noi oltre quel confine? Ovviamente, non era necessario avere l'aids per leggere i libri di Hervé Guibert con la partecipazione e l'intimità che sono le conseguenze quasi naturali del suo stile impudico e leale. Con un minimo sforzo di astrazione, si può arrivare a dire che quel diario di ospedale è l'autoritratto di un uomo che non sa quando e di cosa morirà: come tutti i suoi simili. Nemmeno l'imminenza evidente della fine è così eccezionale, in teoria. Camminiamo tutti su un precipizio. Eppure, mentre stavo lì a spiarlo, e la voglia di fargli uno scherzo era del tutto passata, ero stato colto dalla certezza irrefutabile che Arturo guardasse in quel libro come in uno specchio. Per questo motivo, e non per una generica impazienza, non aveva aspettato di arrivare a casa sua, che era così vicina, ma si era seduto lì, nel cuore di quell'anonimato pomeridiano che a volte rende Roma un luogo più remoto e raccolto di ogni camera chiusa a chiave.

Non c'è solitudine più estrema di quella che ci può circondare mentre siamo a diretto contatto con il flusso della vita, nel cuore di una città del tutto ignara di qualunque nostro affanno o felicità o paura. Avevo deciso di andarmene, lasciandolo solo a meditare sul diario di Guibert, così breve che bastava una mezzora a leggerlo da capo a fondo, tutto il tempo che gli fosse sembrato necessario. Ma proprio nel momento in cui avevo deciso di muovermi con delicatezza, Arturo mi strinse forte la gamba, per farmi capire di rimanere ancora fermo lì. Aveva percepito la mia presenza, e con totale naturalezza mi chiedeva ancora un momento, forse voleva arrivare all'ultima pagina. Poi posò il piccolo libro sulla panchina, e mi guardò annuendo, come per dissipare ogni dubbio residuo. Non c'era bisogno di nessuna spiegazione e di nessuna consolazione. Non ci pensiamo mai, impegnati come siamo a ingabbiare nel linguaggio e nelle sue definizioni ogni minima inezia che ci passa per la testa, eppure, a conti fatti, non c'è niente di così importante da dire, o meglio quello che si dice consiste di informazioni, di opinioni, di rassicurazioni che configurano una specie di *capacità di vivere* sovrapposta più o meno efficacemente a un nucleo di silenzio privo di nomi, piaccia o non piaccia l'identità è quella, e la sua caratteristica più evidente è l'*incapacità di vivere*, la perpetua girandola del dolore e del piacere e della paura della morte. Già, la paura della morte – quell'argomento che Hervé Guibert lascia in sospeso alla fine della sua opera, non perché gli sia mancato il tempo di affrontarla in un nuovo libro, ma perché, da vero scrittore, sa cosa appartiene al linguaggio e cosa al suo contrario, sa cosa è possibile raccontare e ciò che invece può solo accadere. E in tutto questo dove si collocano le malattie? Beh, la scienza medica, che è il più potente alleato della capacità di vivere, individua e seleziona i sintomi, li collega in un insieme dotato di senso e infine li nomina. Un esempio insigne di questo processo di astrazione è proprio la sigla che designa la sindrome dell'aids. Che si tratti di alleviare o addirittura di guarire, nominare è sempre il primo passo. Ma tra tutte le malattie, se ci si riflette, non ne esiste una che come l'aids possieda una riserva così cospicua di singolarità, e dunque di innominabile. Il suo stesso «opportunismo» lo lega all'individuo, ai suoi punti deboli, alle sue abitudini di vita, alla sua età, in un nodo così indissolubile che alla fine, perché capissimo di cosa si trattava, perché intuissimo la profonda somiglianza tra quella malattia e l'esistenza umana considerata in sé, sana o infetta che fosse, l'arte medica doveva cedere il passo all'arte del ritratto. La malattia si rese visibile nei lineamenti così come una stagione si rende visibile saturando di sé un paesaggio.

PANSA/Cossiga e l'Ingegnere
ELEZIONI/I furbi del video

L'Espresso

UNA TESTIMONIANZA
SCONVOLGENTE
GIOVANNI FORTI,
GIORNALISTA
DELL'ESPRESSO,
RACCONTA LA
SUA ODISSEA

Diario di un malato di Aids

SPECIALE
Guida alla musica
in casa

Il diario d'ospedale di Hervé Guibert era uscito pochissimo tempo dopo la sua morte, come l'autore stesso aveva previsto. Appena pochi giorni prima di Guibert, il 16 dicembre del 1991, era morto anche Pier Vittorio Tondelli. Non si potrebbe immaginare due atteggiamenti esteriori più diversi: Tondelli, arrivato nei paraggi della fine, si rivelò un uomo riservatissimo, chiuso in un nido di affetti familiari. Tutto quello che voleva si sapesse, passò attraverso il filtro della trasformazione artistica realizzata nelle pagine di *Camere separate*, che senza dubbio è il suo romanzo più bello. Guibert invece testimoniò il testimoniabile nei libri, e anche in tv, in una famosa puntata di *Apostrophes*, dove apparve già stremato, ma lucidissimo e ancora seducente. Non solo per la morte così precoce a pochi giorni l'uno dall'altro, non solo per la natura così acuta e fremente della loro sensibilità, il confronto tra Guibert e Tondelli è illuminante: in realtà non c'è nessuna differenza sostanziale tra l'esibizione di sé e delle proprie piaghe e il ritirarsi nell'ombra di una inviolabile privacy. In quei mesi d'inverno, mentre il rogo del contagio divampava con tutte le sue morti orribili, non erano né le confessioni né le reticenze a darmi la misura della realtà – quella che avevo visto sul volto di Arturo a piazza Navona. E non era solo un'esperienza privata, dovuta a una circostanza fortuita come quel nostro incontro. Le stesse cose che avevo visto io sui lineamenti del mio amico erano evidenti nel ritratto indimenticabile che Marco Delogu aveva fatto di Giovanni Forti per la copertina dell'*Espresso* del 9 febbraio 1992. Giovanni Forti era un giornalista di grande livello, un uomo colto e curioso, che aveva accettato di scrivere un diario della sua malattia da pubblicare sulla rivista prima che fosse troppo tardi. Nel ritratto di Marco Delogu appare stanco, sereno, così consunto che basterebbe un soffio di vento a sollevarlo. Il naso è già affilato come quello dei morti, e sembra indossare dei vestiti troppo grandi per il suo corpo come se fossero diventati all'improvviso, dopo essere stati usati per tantissimo tempo, quelli di un altro. Un lievissimo sorriso accompagna la fissità dello sguardo nell'obiettivo, animando impercettibilmente gli altri tratti del volto coronati dalle orecchie sporgenti, di un rosa quasi diafano. Tutto l'insieme della sua presenza fisica sembra possedere la consistenza della paglia o delle foglie secche. La fotografia di Marco Delogu mi fa pensare non tanto alla visione frontale tipica del ritratto, ma a qualcuno che si volta indietro per l'ultima volta, salito a cavalcioni fino alla sommità di un muro – il muro che separa il visibile dall'invisibile – prima di calarsi dall'altra parte. Riprodotta in migliaia di copie, quell'immagine così eloquente, così satura di caducità e umanità, ha rappresentato per moltissime persone un accesso immediato, intuitivo alla verità della malattia nel suo strato più intimo e vero, là dove effettivamente impariamo qualcosa della vita e del suo contrario, un piede che scende nella fossa senza mai toccare il fondo, l'altro ancora imbiancato dalla polvere del mondo.

Sogni, e favole io fingo; e pure in carte
mentre favole, e sogni orno, e disegno,
in lor, folle ch'io son, prendo tal parte,
che del mal che inventai piango, e mi sdegno.

Ma forse, allor che non m'inganna l'arte,
più saggio io sono? È l'agitato ingegno
forse allor più tranquillo? O forse parte
da più salda cagion l'amor, lo sdegno?

Ah che non sol quelle, ch'io canto, o scrivo,
favole son; ma quanto temo, o spero,
tutto è menzogna, e delirando io vivo!

Sogno della mia vita è il corso intero.
Deh tu, Signor, quando a destarmi arrivo,
fa' che trovi riposo in sen del vero.

Alla fine, questo è un poeta: non certo qualcuno che ne sa più degli altri, o è più saggio, ci mancherebbe altro. È solo il fatto che l'abitudine di fingere lo predispone a capire di che stoffa sono fatte tutte le altre cose[5]. La stessa identica stoffa che riveste

---

5 Vedi appendice 5.

il re nudo, nella favola. Lui, Metastasio, il più famoso scrittore di drammi per musica di tutti i tempi, il maestro supremo delle peripezie, il mago dei colpi di scena, non è più vero delle sue immaginazioni. Sogna di essere sveglio mentre finge i suoi sogni e le sue favole. Ma non è così. *Sogno della mia vita è il corso intero.* Dall'inizio alla fine. Non sappiamo nemmeno, a rigore, se siamo noi a sognare noi stessi o siamo il sogno di un altro. Il testo, su questo punto, è ambiguo come un insegnamento taoista, consente entrambe le interpretazioni. Ma non è nemmeno una questione così rilevante. Quello che conta veramente è che per uscire da questa fuga prospettica di illusioni, non c'è che una porta, e questa porta è la morte, la puoi imboccare solo una volta e in una sola direzione. Di quel «vero», allora, se vogliamo essere rigorosi, non sappiamo niente e mai nulla sapremo, fino al momento in cui, svegliandoci dalla condizione di vivi, ne raggiungeremo una abbastanza simile, a ben pensarci, a quella dei personaggi di un dramma quando tutti i nodi dell'avventura sono sciolti, la musica si è spenta, la scena è vuota e anche l'ultimo perditempo ha imboccato l'uscita. Questa analogia è così evidente da fare dell'uomo di teatro, ancora più del prete o del filosofo, del medico e del boia, il vero *esperto della morte*, colui che senza tregua conduce gli spettatori lungo l'itinerario che dal sogno della vita conduce al risveglio, alla luce silenziosa del vero, dove finalmente le cose smettono di accadere. E come se volesse rappresentarsi anche lui al centro di una scena immaginaria, Metastasio negli ultimi versi non inventa quasi nulla, si limita a tradurre un grande pezzo di repertorio, il monologo di Sigismondo alla fine del secondo atto della *Vita è un sogno*, quando l'eroe di Calderón sembra spremere dalla sua esperienza tutto ciò che un uomo può imparare, ovvero che chiunque vive sogna di essere ciò che è fino al momento in cui si risveglia –

y en el mundo, en conclusion,
todos sueñan lo que son.

Il personaggio e il poeta parlano la stessa lingua, la loro sapienza di mortali si esprime con parole identiche. Vita. Risveglio. Sogno. Finzione. Sono vivi, non sanno nient'altro. Finché dura lo spettacolo, sono avviluppati in una trama, dormono nell'illusione di essere qualcuno. E se anche sognano di aver compreso che la vita è un sogno, pure questo è sempre un sogno:

y los sueños, sueños son.

Prima o poi, più prima che poi, la storia di un ritratto diventa una storia di spettri. L'immagine che rimane è una casa in cui non vive più nessuno. È così che guardiamo il musicista di Pontormo o il ritratto di Amelia Rosselli di Arturo. Di ogni casa vuota, noi possiamo solo dire che qualcosa, lì dentro, è accaduto. Nodi della vita che si sono stretti e si sono sciolti con amore e dolore e curiosità e malizia e tristezza e coraggio e disperazione e di cui nessuno più sa nulla.

Se contemplo la fotografia in bianco e nero con la necessaria concentrazione e il necessario abbandono, ciò che vedo non sono più i lineamenti di Amelia Rosselli o il talento di Arturo nel catturarli, ma un frammento di tempo, il tempo necessario a realizzare questo ritratto, all'ultimo piano della casa di Arturo in via del Corallo, così vicina a casa di Amelia che a contare i passi dall'una all'altra non si arriva a venti. Vedo un pomeriggio degli anni Novanta del Novecento. Vedo un cielo che potrà assomigliare a milioni di altri cieli ma fino alla fine del mondo non sarà mai più esattamente lo stesso. Perché questo è il mondo, un insieme di circostanze irripetibili, una sconfinata elegia, una marcia funebre.

Mi viene in mente l'inizio di un libro di Annie Ernaux: tutte le immagini scompariranno. *Non le immagini in sé, è ovvio, quelle possono sempre sopravvivere da qualche parte come un coltello di selce o una punta di freccia nel fondo di una caverna, che importa. Annie Ernaux vuole dire che tutto quello che vediamo in un'immagine scomparirà con noi, senza rimedio, nessuno ci vedrà mai più le stesse cose.*

Erano entrambi, Amelia e Arturo, abbastanza vicini alla fine di quella vita che hanno deciso di togliersi in maniera così classica, diciamo pure all'antica, come poteva succedere in una tragedia greca, in una saga di vichinghi: lei buttandosi nel vuoto, lui impiccandosi. In teoria, queste circostanze non dovrebbero avere nessun peso, di tantissimi ritratti non sappiamo assolutamente nulla, né sull'artista che li ha fatti né sul suo modello, eppure ne apprezziamo la bellezza, o almeno l'interesse storico. Come un'orfana, l'immagine vive la sua vita, ne ha il diritto, mentre gli esseri umani che l'hanno prodotta, Amelia che guarda nell'obiettivo e Arturo leggermente chino sul mirino della sua Hasselblad, sono diventati polvere sospesa nell'incertezza dei ricordi: condizione di per sé ambigua e transitoria, perché arriva sempre il giorno in cui non c'è più nessun vivo a ricordare il morto. Che c'è di così strano?

Tutto il senso dell'arte di Arturo, considerata sia dal punto di vista dei risultati raggiunti che da quello del margine di insoddisfazione che lo pungolava, è contenuta in una frase del Nipote di Rameau. *Me la citava nel suo francese perfetto e se ben ricordo l'aveva ascoltata la prima volta conversando con Marguerite Yourcernar, sua grande amica6, ricavandone l'emozione profonda delle illuminazioni decisive. L'eroe di Diderot è un brillante parassita urbano, che vive alla giornata guadagnandosi un posto alla tavola dei ricchi con la sua maldicente intelligenza, il cinismo delle sue battute, l'arte del pettegolezzo. È un personaggio immenso e terrificante,*

---

6 Vedi appendice 6.

un vero prototipo dell'uomo sociale moderno, che ha scambiato l'identità per un groviglio inestricabile di relazioni ed espedienti. Il suo vuoto è così irrimediabile che l'unica cosa stabile che gli si riconosce è un legame di parentela con un artista famoso – e così a Parigi tutti lo chiamano il Nipote di Rameau, avrà pure un nome suo ma nessuno lo conosce. Un giorno appare pasciuto e ben vestito, il giorno dopo ha l'aspetto di qualcuno che ha dormito in un fienile. È l'ostaggio della più crudele e incostante delle forze, il successo mondano. Non sa fare nulla. Ebbene, Diderot osserva che un uomo del genere finisce per smarrire anche i tratti che ci rendono riconoscibili dal prossimo. Non assomiglia più a lui stesso, scrive Diderot, nessuno gli assomiglia meno di lui stesso. Se l'essere dissimili è ciò che ci distingue dagli altri, permettendoci di vivere la nostra vita, quel demone meschino che è il Nipote di Rameau ha finito per albergare al suo interno questo confine, diventando qualcuno che assomiglia sempre a un altro. E se è fin troppo evidente che il Nipote di Rameau rappresenta un caso eccezionale, tale da ispirare in Diderot quel miscuglio di attrazione e repulsione che anima il suo capolavoro, è anche vero – così la pensava Arturo e non si può che dargli ragione – che tutti noi, vivendo fra gli altri, desiderandoli e temendoli, sviluppando infinite forme di aggressività e dipendenza, orgoglio e sottomissione, finiamo per smarrire, in maniera più o meno grave, la strada della somiglianza a noi stessi. Come cani che a forza di fiutare tracce non sono più in grado di tornare a casa. E questo è esattamente il lavoro del ritratto: ricondurre i lineamenti, lungo una strada fatta di luci e ombre, alla loro identità essenziale, sanare la lacerazione del dissimile. Tutti i volti di Arturo mi fanno pensare a frammenti di ceramica ricomposti con infinita pazienza da un archeologo così abile da cancellare totalmente le linee di sutura.

«...rien ne dissemble plus de lui que lui même...»

«Macchine scalcagnate di marca americana con tipi un po' loschi dal fisico infatti americano a volte m'attendevano al portone o

infastidivano per strada. Ma a ciò ero ormai abituata» (Storia di una malattia*).*

Il punto più delicato del processo artistico di Arturo: la relazione esatta, l'accordo musicale tra la la luce e i lineamenti. Se la posta in gioco è sempre un ritorno a sé, da un luogo di esilio che può essere più o meno remoto, la luce non è un'atmosfera, o un trucco, o ancora una specie di cosmetico, ma una strada da percorrere. Lui offriva questa strada, la percorreva insieme ai suoi modelli. Aveva la sensazione di incontrare individui lontani chilometri dal punto in cui si sarebbero finalmente assomigliati, e altri che erano vicinissimi, sarebbe bastato un solo passo. Una volta gli ho chiesto chi, di tutte le persone che si era trovato di fronte, gli avesse dato l'impressione di essere più vicino a sé stessa, meno dissimile. Mi rispose senza pensarci nemmeno un secondo: Emmanuel Lévinas. Quel grande filosofo, che aveva scritto pagine così profonde e sorprendenti sul volto umano, era già lì dove il lavoro del ritratto doveva portarlo. «Capisci??? Niente più maledetto ego, come un re di tempi antichi!!!». Qualche giorno dopo, per il mio compleanno, mi spedì a casa una bellissima stampa del suo ritratto di Lévinas. Era proprio così.

«Si udì tra gli americani menzionare l'uso del radar *sulla testa, e tra molte minacce di stile mafioso (in un italiano di stile fascistico), notavo rialzarsi e abbassarsi a punta la cima del cranio (la calotta), a volte molto dolorosamente»* (Storia di una malattia*).*

Una poetessa, un'anima in pena. È quasi incredibile come tutti noi, anche se non rifiutiamo la compagnia e il soccorso del prossimo, anche nel caso in cui finiamo per essere apprezzati e addirittura amati come più non si potrebbe, diventando magari scrittrici e scrittori studiati nelle storie letterarie, o celebri attrici, cantanti, giuristi... finiamo comunque per rimanere soli e sole, quella è la regola, così va la vita, la coperta che ci offre il prossimo è sempre troppo corta, non arriva mai dove in effetti ne avremmo il biso-

gno. La realtà è che sul più bello non c'è nessuno. Proprio come *nei film horror dove vediamo un gruppo di persone, le vittime designate, che farebbero molto meglio a rimanere da qualche parte tutte insieme ad affrontare il maleficio, il mostro, e invece no!, per un motivo o per l'altro, finiscono sempre per separarsi, uno va a esplorare la cantina, l'altro si perde, l'altro ancora ha una crisi di nervi e zac, si fottono ognuno per conto proprio spingendosi ben oltre le più rosee aspettative del maniaco, dello spirito malvagio, o di chiunque sia lo stronzo nascosto nell'ombra.*

Good. Gooooood.

Quando voleva evitare un eccesso di «onde magnetiche» Amelia uscīva in motorino. Idea tutt'altro che stupida: l'agilità e la ra-pidità dei movimenti permessa da un mezzo simile «rendevano difficile» – così si legge nella Storia di una malattia – la localiz-zazione. *Era più un palliativo che una soluzione. «I commenti di ordine ossessivo-ironico», infatti, «si susseguivano anche durante la guida e rendevano la marcia un poco pericolosa». Sulla mappa secolare della città, gli itinerari di queste corse in motorino traccia-no curve e rettilinei che fanno pensare a un'arcana sapienza, come i gesti e le prescrizioni minuziose di un rito vedico. La* marcia pericolosa *produce una figura, il perimetro di un bastione opposto all'avanzare di forze malvage, onnipotenti. Non è una fuga, ma una storia. Solo un angelo di passaggio nel cielo di Roma sarebbe stato in grado di apprezzarla, osservandola dall'alto. Avrebbe si-curamente meditato, l'angelo, sulla disperata bellezza degli esseri umani e delle loro guerre.*

EREDITÀ

All'inizio dell'estate del 1998, il direttore di una rivista per la quale lavoravo mi aveva chiesto di andare a Vado di Camaiore per intervistare Garboli. Era appena uscito un nuovo libro, *Un po' prima del piombo*, una raccolta completa delle sue recensioni teatrali degli anni Settanta curata da Ferdinando Taviani. Ero molto contento di fare quel lavoro per due motivi. Sapevo che Garboli aveva deciso di trasferirsi a Firenze, abbandonando per sempre quel luogo dove aveva vissuto gli ultimi vent'anni e che era stato tanto importante per lui. Volevo rivedere quella casa così affascinante prima che fosse troppo tardi. E poi, erano mesi che cercavo l'occasione di fare pace. Avevamo litigato di brutto, era stato molto aggressivo, e questa volta mi ero offeso. Mi aveva lasciato dei messaggi prima concilianti e poi addirittura affettuosi sulla segreteria telefonica ma per un lungo periodo non avevo mai richiamato. Il guaio di Cesare è che la sua ira sfiammava rapidamente, e pretendeva che tutto tornasse come prima appena lui decideva di metterci una pietra sopra. A ripensarci adesso, devo ammettere che il mio modo di fare è mille volte peggiore, perché il risentimento delle persone miti è duraturo e potenzialmente inestinguibile alla maniera delle braci che ardono sotto le ceneri, e a volte mi sorprendo a nutrire rancori anche nei confronti di compagni delle elementari e addirittura dei morti, come se il mio avere ragione contasse ancora qualcosa. Ad ogni modo, ero stato ben felice di avere una scusa per richiamarlo. Lessi il libro, e come tante altre volte feci la strada fino a Viareggio per poi puntare verso i monti. Il padrone di casa, uno Stetson calato sulla fronte, mi accolse con grande affetto. Non era ancora cominciato il trasloco vero e proprio, ma si sa che un'ombra di provvisorietà inizia a incombere su ogni luogo che abbiamo deciso di abbandonare. A dicembre, avrebbe compiuto settant'anni. Era ancora bello, ma da un po' di tempo aveva iniziato a soffrire. La freccia di un Apollo adirato, o semplicemente annoiato, lo aveva colpito al fegato: l'organo più compromesso, secondo antichissime e venerabili tradizioni mediche e astrologiche, con Saturno e l'umore malinconico. Spesso mi aveva parlato dei malvagi effetti collaterali delle cure a base di interferone, e quel pomeriggio, nonostante la luce splendida e l'esuberanza vitale di tutto il paesaggio, lo trovai così stanco che capii benissimo perché se ne volesse andare da quei dintorni così rustici e isolati. Non c'era nessun altro ospite quel giorno, e un silenzio solenne sembrava scendere dalle balze dei monti scoscesi. Le finestre della casa inquadravano rettangoli di cielo solcati da grandi e lente nuvole: vaporosi pachidermi che dalla torrida pianura tirrenica si muovevano all'interno, in cerca di qualche cima dove versare, alla fine del giorno, un rapido temporale. Non ricordo bene perché, ma del libro delle critiche teatrali Garboli non aveva nessuna voglia di parlare, forse ero arrivato dopo altri intervistatori e gli scocciava ripetere le stesse cose anche a me. Eravamo nello studio al primo piano, e voleva terminare di rileggere un saggio che aveva appena scritto. Sbirciando lo schermo del portatile, avevo carpito un titolo stupendo – *Pascoli lesbico*. Mise un punto, e finalmente sollevò lo sguardo. «L'ultima cosa che avrei voluto fare nella vita», così all'improvviso ruppe il silenzio, con quel tono di ammirato stupore che prendeva parlando di se stesso, «è il *professore di estetica*. Perché uno dovrebbe interessarsi di una cosa come la letteratura in quanto tale? Per indagarne l'essenza, per definirla? A chi interessa una cosa del genere? A te interessa?». Beh no, nemmeno a me interessava, non ci avevo mai nemmeno pensato su seriamente. Ma avevo paura di cadere in un tranello ben noto a chi gli faceva un'intervista o citava una sua opinione. Anche se riportava letteralmente le sue parole, con tanto di virgolette, pescando da un suo scritto o registrando la sua viva voce, il malcapitato non aveva afferrato il senso vero del suo pensiero, aveva fatto male a citare quelle sue parole, le aveva distorte anche se le aveva riportate fedelmente, oppure erano cose che gli aveva detto in privato e che non avrebbe mai dovuto riportare. E comunque, ce l'aveva fatta a non diventare un professore di estetica... con chi ancora doveva giustificarsi, mettere un puntino sulla i? Avevo bisogno almeno di qualche risposta per imbastirci su un'intervista, e cercai di portare il discorso su argomenti più interessanti. Mi era piaciuta una definizione del curatore del volume teatrale, Ferdinando Taviani: a suo parere, Garboli era un «sociopatico». Si riconosceva in quell'aggettivo di solito riservato ai serial killer? Sì, non gli era dispiaciuto affatto. Quel patire la società era qualcosa di tristemente indistinguibile dal suo interesse per la società, che lo spingeva ogni mattina a leggere i giornali, a commentare i fatti. Se il ritiro nella casa di Vado era stata una mossa vincente del «sociopatico», l'orrido epilogo dell'*affaire* Moro non rappresentava un trauma rivelatore, ma l'ultimo anello di una catena di amari disincanti, iniziata quando aveva solo vent'anni, nel 1948. «Tu non puoi immaginare cosa fu la vittoria della Democrazia Cristiana. Passeggiavo per Roma da solo, lungo via del Tritone, sommersa dalle cartacce come dopo una festa. A quei tempi, per la mia generazione, l'antifascismo non era una semplice scelta politica, ma una categoria dell'esistenza... sì, un vero e proprio modo di stare al mondo. Una persona giovane, come ero io allora, vive nel futuro, non può fare a meno di questo suo elemento che è il futuro. Ecco: in qualche modo, quel giorno, il futuro si è bloccato». Mi venne in mente una poesia di Vittorio Sereni su Umberto Saba, che nei giorni successivi a quel 18 aprile del 1948 ammazza-futuro si aggirava per Milano perseguitato dalle notizie della radio, gridando «Porca!» sotto lo sguardo stupefatto dei passanti. «Lo diceva all'Italia», spiega Sereni, «come a una donna / che ignara o no a morte ci ha ferito». Mentre la luce della sera si addolciva, a Garboli venne voglia di passeggiare fino all'ombra dei due immensi platani che custodivano la proprietà come una coppia di dèi così primitivi da non avere nemmeno bisogno di un nome o di un mito. Decisamente, l'intervista sulle recensioni teatrali era finita ancora prima di cominciare, e tornato a casa avrei dovuto cercare di mettere insieme qualche frase sconnessa o inventare di sana pianta. Non lo dico per giustificarmi, ma le interviste più fedeli sono pura fiction. L'unica cosa importante è far dire alle persone ciò che, presumibilmente, avrebbero voluto dire in quel momento. Tra l'altro, questi sentimenti civili di Garboli mi mettevano sempre a disagio. Colpa mia: non riesco a entrare in empatia con nessun dolore che non riguardi la sfera privata. Posso comprendere la disperazione di chi vive in Corea del Nord o in una città governata dall'ISIS, ma come è possibile che il futuro di un ragazzo di vent'anni sia divorato dalla vittoria della Democrazia Cristiana? Se era destinato all'infelicità, la vittoria di Palmiro Togliatti lo avrebbe in qualche modo confortato? Anche la poesia di Sereni: è bella, ma chissà di cosa soffriva Umberto Saba nell'aprile del 1948, l'uomo è un animale complicato che dice sempre di soffrire di una cosa mentre soffre di un'altra. Chissà a chi o a cosa gridava «Porca!» il grande poeta. Ho sempre considerato la letteratura, e in generale tutte le arti alle quali è possibile consacrarsi, come una condizione di autonomia dalla sfera sociale, dai suoi poteri e dalle sue ingiustizie, dai suoi complotti e dai suoi tumulti. Credo che si possa vivere la propria vita onorando la giustizia e la compassione senza per questo nutrire opinioni su cose che non puoi cambiare, infiammarsi, fare polemiche. Ma quel pomeriggio non volevo sfidare Garboli con idee che avevano il potere di mandarlo in bestia. Capivo anche la nobiltà di quello che voleva dire. Forse l'aver vissuto sotto il fascismo è stata, per tutta una generazione di europei, una ferita sempre aperta, attraverso la quale i fatti politici continuavano a penetrare nel sangue e agitarlo come un veleno di cui non si può più fare a meno.

Nel frattempo, eravamo usciti dalla casa e ci eravamo diretti verso i platani. Mentre camminavamo, ero preoccupato dell'eventuale incupirsi dell'umore di Garboli, e spiavo il suo profilo pensoso, da signore del Rinascimento. Ma il malumore evocato dal ricordo delle elezioni del 1948 era di natura passeggera, e quando ci siamo seduti all'ombra dei grandi alberi, mentre migliaia e migliaia di giovani foglie stormivano alla lieve brezza della sera, mi chiese se avevo mai pensato, negli ultimi tempi, al sonetto di Metastasio. Dopo la notte in cui ci eravamo conosciuti, me ne aveva parlato molte altre volte. A un certo punto aveva anche pensato di scriverci sopra un libro, per una collana di brevi saggi dedicati ognuno a una poesia della tradizione italiana. Mi recitò di nuovo i versi, da cima a fondo, sogni e favole io fingo eccetera eccetera. Gli chiesi se aveva ancora intenzione di scriverlo, quel libro, se ci stesse già lavorando. Era proprio questo il punto. A settant'anni, indebolito nel fisico com'era, aveva capito come mai prima di allora che non sarebbe riuscito a portare a termine tutte le cose che intendeva fare. Doveva scegliere, misurare e dosare le forze. Finire lavori che aveva iniziato, onorare certi impegni. Roba non da poco: un commento alla *Divina commedia*, addirittura. Per procedere, doveva buttare via della zavorra. O affidarla ad altri. Il libro sul sonetto di Metastasio, per esempio, era roba buona per me. Dovevo scriverlo io. Se avevo pazienza, me lo avrebbe spiegato.

Quanto più abbiamo vissuto fino in fondo la nostra vita, tanto più siamo in grado di lasciarci dietro un'eredità di aneliti, frustrazioni, visioni momentanee in cerca di una durata. Negli ultimi anni, via via che sentiva le forze scemare e i nodi avvicinarsi al pettine, Garboli deve aver compreso tutta l'importanza di questa posta in gioco – tanto è vero che non sono l'unico a cui è stato affidato il fantasma di un libro che non era più in grado di scrivere. Una testimonianza molto preziosa è quella di Marco Vallora, che risale a qualche tempo dopo la mia ultima visita a Vado, quando Garboli si era stabilito a Viareggio. A Vallora, che è un finissimo critico e intenditore d'arte, Garboli propose di portare a termine un'altra idea, un'interpretazione di un'opera famosa di Watteau, *L'insegna di Gersaint*, quel bellissimo quadro della bottega di un mercante d'arte piena di damine e cicisbei che ammirano la merce mentre un garzone sta imballando un ritratto di Luigi XIV. Vallora racconta come meglio non si potrebbe uno di quei rapinosi monologhi di Garboli, pieno di digressioni inattese, notizie strabilianti, improvvise rivelazioni di rapporti mai sospettati tra cause ed effetti in apparenza troppo remoti. «Il racconto di un libro che non avrebbe più potuto scrivere; ma lo librava e rifrullava nelle trine dell'aria». Catturato da quella «bava assassina», Vallora non trova il momento giusto per alzarsi e recuperare il registratore lasciato nella valigia. Non osa nemmeno tirare fuori penna e quaderno. Ma l'intento del padrone di casa era chiaro, come lo era stato con me nel giardino di Vado. «Cesare voleva che io mi facessi scriba e complice», conclude Vallora, «non avendo più forze» per affrontare da solo l'argomento. In fondo, si trattava di una transazione vantaggiosa per entrambe le parti. Garboli regalava un argomento a gente come me o Vallora, in grado di apprezzarlo, di riconoscere che era merce di prima qualità. E pazienza se nessun Watson sarebbe mai stato all'altezza di quello Sherlock Holmes che sentiva di avere i giorni contati. Molto difficilmente gli «scribi» avrebbero portato a termine quei libri dall'argomento così impegnativo, che solo lui sarebbe stato capace di scrivere nel suo modo così originale e persuasivo. Che importava, del resto? Con quel gioco, Garboli non mirava a nessun risultato concreto. Ciò che si conosce di Watteau e Metastasio basta e avanza fino alla fine del mondo. Ma lui era troppo intelligente per ignorare che non è nelle cose che abbiamo portato a termine che sopravviviamo veramente. La natura umana non si rispecchia mai, se non superficialmente, in un prodotto finito – perché è inquieta, ficca il naso dove non vede bene, vive nell'illusione che ci sia sempre qualcosa d'altro da conoscere, da interpretare. E se c'è una possibilità di durata di ciò che siamo stati, una prosecuzione (anch'essa effimera, si intende) del nostro destino oltre il limite naturale della morte, ebbene, noi sopravviviamo in tutto quello che non siamo riusciti a fare, nel tempo che non ci è bastato, nei rimpianti, nelle imprese interrotte.

Purtroppo, non sono in grado di ricordare lo schema, i contenuti del libro sul sonetto di Metastasio che Garboli mi propose di scrivere al suo posto. Complici i giochi di luce tra i rami dei platani, e le evoluzioni di un paio di gatti che si rincorrevano tra i cespugli, la mia attenzione, come spesso mi capita, deve aver mollato la presa sul più bello. La proposta mi aveva inorgoglito, perché in fin dei conti non mi sono mai sentito stimato fino in fondo da quell'uomo difficile, suscettibile, bilioso. Per farla breve, me ne vergogno ma il libro di Garboli si è perso nel vento – a meno che non rispunti fuori da qualche sua carta inedita. Dagli scarni appunti che avevo annotato per l'intervista, emerge solo che a un certo punto si sarebbe parlato dell'*Amleto* e poi dell'*Adolphe* di Benjamin Constant. Alla fine del discorso, faceva già quasi buio. Garboli si scusò ma non aveva abbastanza cibo, così mi disse, da dividere con me. Prima di riaccompagnarmi al cancello mi regalò una copia di una sua traduzione di Gide che aveva fatto da giovane e che Manlio Cancogni aveva deciso di ristampare in una collana che dirigeva per una piccola casa editrice di quelle parti. Quando la rivista per la quale avevo fatto l'intervista uscì in edicola, pochi giorni dopo, Garboli mi chiamò per ringraziarmi. «Hai inventato bene, questa volta. Ma soprattutto, hai inventato le domande. È questo il segreto!». Mi chiese anche la data esatta della mia visita a Vado, perché voleva annotare sul diario «la nostra conversazione su Metastasio». Mi invitò a pensarci sopra, e negli anni che seguirono (è morto nel 2004) tornava volentieri sull'argomento, quando ci vedevamo. Ma doveva passare molto tempo prima che tornassi alla Biblioteca Nazionale, rimasta pressoché identica a quando ero giovane, per cercare biografie di Metastasio, raccolte di opere, saggi di critici illustri e sconosciuti. Cercando insomma di fare quello che avrebbe fatto Garboli se avesse intrapreso la scrittura di quel libro. Devo dire che col passare degli anni, il sentimento di vivere in un sogno si è fatto sempre più forte, e di conseguenza i versi di Metastasio sono risuonati in me con il timbro inconfondibile che possiedono solo le grandi intuizioni, le scoperte supreme. E poi, l'idea di scrivere il libro di un altro a un certo punto mi è sembrata la maniera migliore di impiegare il mio tempo. Volevo tentare un ibrido fra il saggio letterario e la seduta spiritica: due nobili arti passate di moda. La verità è che incombe sempre sul vivo il compito di battere un colpo. Il tavolino tarlato traballa sulle sue zampette, ma dalle vaste, incommensurabili plaghe del passato, come da un deserto dei tartari fatto di tempo anziché di spazio, non arriva che un ironico silenzio. Metastasio o Garboli, tutti i morti finiscono per assomigliarsi. Sono evasi dal sogno, si sono risvegliati nella verità. Non hanno più bisogno di rigirarsi per le mani nessuna poesia come fosse una bussola, una traccia, una corona d'aglio da appendere alla porta per tenere lontani i vampiri.

Cesare Garboli

IL FILOTTETE
DI GIDE

una traduzione e la
sua storia

A Emanuele
ricordo del
15 giugno 1998
Cesare G.

GALLERIA PEGASO EDITORE

FORTE DEI MARMI

In maniera diversa da Garboli, ma non meno pungolante, anche Arturo, negli ultimi anni, dovette fare i conti con il sentimento più angoscioso per uno spirito creativo, che non è quello della morte in sé, bensì quello della *mancanza di tempo*. La sabbia scorreva più veloce nella clessidra, oppure gli sembrava che fosse così, il risultato era lo stesso. L'importante, mi disse una volta che ero a pranzo da lui (ricordo ancora una maleodorante teglia di cipolle al forno, di cui vantava le virtù terapeutiche) era governare l'ansietà affinché agisse come uno stimolo, e non una paralisi. Gli sembrava di veleggiare verso una meta che poteva raggiungere solo sfruttando abilmente la forza di un vento contrario. L'aids, mi disse, aveva suscitato in lui un potere di discriminazione che non aveva mai posseduto prima, almeno nella forma in cui si era manifestato in quell'ultima epoca della sua vita, quando la differenza tra le cose importanti e quelle transitorie, tra l'essenziale e l'effimero, gli si era rivelata in tutta la sua irrecusabile evidenza. Si curava e si riguardava, mentre procedeva febbrilmente per la sua strada. Iniziò a ripulire il suo archivio distruggendo progressivamente una grande quantità di fotografie che non gli piacevano più, che non corrispondevano più a quello che solo ora, come mi ripeteva spesso, aveva iniziato a capire. Era impressionante la maniera che aveva di assorbire gli stimoli – libri, opere d'arte, conversazioni. Era sempre stato intenso, ma a partire da un certo punto di non ritorno Arturo mi apparve rapito dall'onda possente della necessità, che lo portava in alto e lo sbatteva giù facendogli vivere in un solo giorno quello che un altro avrebbe vissuto in un anno. Ogni volta che lo incontravo o che gli parlavo al telefono, lo sentivo impegnato a liberarsi da tutte le scorie che gli impedivano di proseguire più velocemente verso la forma definitiva del suo destino. Oggi lo capisco molto più di quanto potessi fare allora. E non perché mi sia preso l'aids, ma per un motivo ancora più decisivo: ho raggiunto la sua età, ho cominciato a sentire il tempo – che una volta mi sembrava una riserva illimitata – sfuggirmi via facendosi sempre più impalpabile e prezioso. Certo, la condizione di malato fece la sua parte decisiva, rese più acuta la percezione di uno stato di emergenza. Già di per sé l'umore di Arturo era un percorso da montagne russe, soggetto a vertiginosi e frequenti sbalzi. Se aveva sempre faticato a governare il suo carattere, ora doveva fare i conti con l'urgenza di andare fino in fondo in una situazione oggettivamente avversa. Ho trovato nei quaderni di Kafka una definizione stupenda di questo stato d'animo. Quando viene «il momento di decidere», scrive Kafka, bisogna trovare la forza di stringere in una mano tutto ciò che si è, «come una pietra da lanciare, un coltello per macellare». È molto significativo che Kafka abbia scritto queste parole nell'ottobre del 1917, vale a dire qualche settimana dopo la diagnosi di tubercolosi che equivalse per lui alla lettura di un sentenza e insieme a una prodigiosa esplosione di energie creative a lungo trattenute. È in queste condizioni eccezionali (vale a dire: come un uomo che ha trasformato la memoria e la coscienza di sé in qualcosa di *impugnabile*, una pietra da scagliare o il manico di un coltello) che Arturo realizzò i suoi ultimi cicli di ritratti, tra i quali quelli degli abitanti di Patten, nel Maine, che Diego Mormorio, storico della fotografia e suo vecchio e fedele amico, considera il vertice della sua arte. Visse per mesi in quel minuscolo borgo che porta il suo stesso nome, scegliendo uno a uno i suoi modelli, per alcuni usando il vecchio fondo di velluto nero, per altri facendone emergere il volto da sfondi umili, quotidiani, privi di connotati simbolici o narrativi. Ne venne fuori un piccolo libro perfetto, nel quale i ritratti si alternano ai brevi capitoli di uno splendido saggio di Russell Banks, *Lo straniero invisibile* – un esempio davvero impareggiabile di armonia e reciproca illuminazione tra scrittura e immagini. Banks a un certo punto, partendo dall'esperienza di aver posato lui stesso varie volte per Arturo, ragiona su quella che definisce la «migliore foto» di un'intera, snervante seduta. Dopo un'ora o più passata di fronte all'obiettivo di Arturo, ricorda il grande romanziere americano, si finisce per sentire il proprio corpo stanco e distante, quasi come appartenesse a un altro, un fratello gemello. È quel tipo di stanchezza che si può provare dopo aver meditato a lungo – non proprio una stanchezza fisica, ma l'impressione di essere «svuotati». In quel momento il modello si separa dalla sua maschera. Ma la ricerca di Arturo non può essere banalizzata, secondo Banks, affermando che vada semplicemente in cerca della persona sotto la maschera. In una sua foto, noi vediamo entrambi: la maschera e il soggetto che la produce. Vediamo il *processo* attraverso cui l'uno crea l'altra, dunque vediamo la creazione dell'Io, «l'interazione dinamica del dominante e del dominato, della coscienza e della personalità, delle realtà interiori ed esteriori di un essere». E se vediamo tutto questo, è perché accade *sotto uno sguardo*, capace di catturare l'azione nascosta dall'immobilità della posa. Più che l'opera di un ritrattista, conclude Banks, quella di Arturo sembra l'opera di un drammaturgo.

Patten, la minuscola cittadina circondata dalle solitudini selvagge del Maine, fu anche una specie di pellegrinaggio all'Origine, e forse una conciliazione simbolica con quelle radici che per tutta la vita aveva voluto tagliare, e che nessun essere umano riesce mai a tagliare veramente. Nella geografia degli ultimi tempi di Arturo, rappresenta uno dei due poli fondamentali. L'altro, quello effettivamente terminale, è stato la Sicilia. Se per buona parte della vita pensò a se stesso come a un romano, l'ultima incarnazione della sua personalità e della sua sensibilità è quella del siciliano. Non gli bastava amare un luogo o un paesaggio: Arturo voleva diventarne il figlio, strappando al caso e alla sorte il potere di generare se stesso con un atto di identificazione profonda che poteva far sorridere gli amici, ma era la conseguenza diretta della sua libertà. Oltre a fornirgli l'occasione di una serie di ritratti di strabiliante bellezza e profondità psicologica, la Sicilia orientò per l'ultima volta la sua bussola estetica. La scoperta dei ritratti di Antonello da Messina gli aprì l'ultima porta. Fu l'inestimabile pietra di paragone di tutta l'esperienza accumulata fino ad allora. Passava ore, a Palermo, nella sala tranquilla del museo di palazzo Abatellis contemplando l'*Annunciata*, col suo viso da dea orientale che emerge dalle pieghe del manto azzurro, la mano a mezz'aria che sembra creare lo spazio e il volume all'interno dei quali l'immagine inizia a pulsare di vita, come se anche al di là della superficie dipinta, in quel mondo di inconcepibile perfezione, i corpi avessero bisogno di un'aria da respirare, solo più rarefatta e limpida della nostra. Andò a Cefalù per studiare l'*Ignoto marinaio* di palazzo Mandralisca. L'influenza di Antonello è già evidente in un lavoro di cui andava molto fiero, il ritratto di Claudio Santamaria, su un fondo nero che esalta i tratti ben marcati, da soldato di ventura. Il lavoro incompiuto sui siciliani è stato pubblicato postumo nel 2005 in un libro intitolato *In fondo agli occhi*. Ancora più che in passato, ogni ritratto era un'avventura umana, ogni incontro si trasformava in un'amicizia e in un ricordo indelebile. Elvira Sellerio, che non aveva nessuna pazienza con i fotografi, ma si era invaghita delle maniere di Arturo, lo raccomandò ad Andrea Camilleri, che si fece raggiungere a Porto Empedocle. Prima di inizare, Arturo volle conoscere i luoghi della sua infanzia, e poi decisero di andare in una vecchia casa di campagna, disabitata e in rovina. Arturo lo fece sedere davanti a un porta tarlata, con il grosso catenaccio arrugginito. Una camicia a quadri, un volto paziente e annoiato, le guance e la fronte arrossate dalla vampa del sole estivo. Gli occhi saggi, abituati a indagare il prossimo con un curioso disincanto, coronati dalle foltissime sopracciglia bianche. La porta socchiusa sul buio enigmatico delle case abbandonate, che è il buio dell'infanzia e il buio della memoria. Ogni volta che contemplo il ritratto di Camilleri, ho la sensazione di ascoltare un concerto di cicale al parossismo in un pomeriggio di luglio, di annusare un lievissimo sentore di origano e muffa e sterco d'asino. E se dovessi indicare, tra tutte le opere di Arturo che ho visto, la punta estrema del suo lavoro, il limite della sua capacità di intuire l'individuo, la sua mortalità, la sua bellezza, è questo ritratto che sceglierei tra tutti. «Sentii», ha ricordato Camilleri qualche tempo dopo la morte di Arturo, «il bisogno di rivederlo, di conoscerlo meglio, di diventargli, in qualche modo, amico». Aveva intravisto in quell'uomo così affabile, seducente, premuroso «tante ferite non chiuse». Ma erano, precisa giustamente Camilleri, «ferite pulite, nitide, dai margini netti, non erano infette e non avevano generato pus». A pensarci bene, può essere stata proprio la Sicilia, prima di accoglierlo nella sua terra, a pulirgli in qualche modo quelle ferite che nulla e nessuno può richiudere a un essere umano. Quando ne parlava agli amici, il nome stesso dell'isola più che quelli di un posto assumeva i connotati di una condizione spirituale e di un'età della vita e di un confine che aveva varcato una volta per tutte.

Non ricordo esattamente quando, dopo una di quelle letture di poesie che diceva di fare per soldi, e che lasciavano sempre l'uditorio frastornato e commosso come sempre accade se la voce di un vero poeta tocca un limite e ridesta un oscuro sentimento di verità e bellezza, non ricordo esattamente come o perché, poteva essere il 1992 o il 1995, mi ritrovai Amelia Rosselli seduta in macchina. Uno degli organizzatori della serata aveva avuto un contrattempo e mi chiese di riportarla a casa. Era una notte fredda e piovosa, e per le vie del centro non c'era nessuno. Durante il tragitto non mi aveva rivolto praticamente la parola. Scrutava le gocce di pioggia sul finestrino accanto a lei ed emetteva a intervalli qualcosa come un lievissimo lamento – forse un modo per tenere a bada il flagello delle voci interiori, dei lugubri scherzi degli spioni. Ma non era ostile, né distante. Doveva essere a causa dell'antica amicizia con mio padre, o della naturale bontà della sua indole, ma ogni volta che la incontravo trovavo in lei un tono di benevolenza, di delicata attenzione. Pensavo di lasciarla al portone, ma inaspettatamente, al momento di scendere dalla macchina, come se fosse stata assalita da un repentino timore, mi chiese di accompagnarla su. Mi colpirono subito le dimensioni veramente minuscole di quell'appartamento, per chiamarlo così. Non era altro che una di quelle soffitte che una volta servivano come deposito di legna o discariche di ciarpame casalingo. Tutto suggeriva l'idea di un'esistenza ridotta alle necessità essenziali. Dando un'occhiata alla cucina, non avevo potuto trattenermi dal pensare che ognuno degli elettrodomestici poteva contenere qualche sofisticato e invisibile marchingegno della CIA. Ovviamente, non gliene feci parola, per non ridestare angosce che in quel momento potevano essere sopite o sopportabili. Le chiesi invece se potevo vedere i suoi libri. La mancanza di spazio, unita alla fondamentale serietà del suo intelletto, aveva espulso dagli scaffali ogni traccia di futile. C'erano molte opere di poeti, in varie lingue, assieme a libri di saggezza orientale, di teoria musicale, di psicanalisi. Le chiesi se c'era qualcosa che stesse studiando in quel momento – un classico, un determinato argomento. Mi rispose una cosa che non ho mai dimenticato. «La cosa più importante, sarebbe quella di ricordare le vite precedenti a quella che stiamo vivendo. Attraverso forme particolari di meditazione, o con un certo uso di mezzi poetici molto elaborati. Il potere di uomini come Buddha o Pitagora consisteva proprio in quest'unica facoltà perfettamente sviluppata. *Sapevano chi erano stati*». Per un po', cercò qualcosa nella libreria, e alla fine estrasse un volume un po' ingiallito, una raccolta di testi pitagorici pubblicata nella collana di filosofia della Laterza. «Pitagora, per esempio, che aveva ricevuto da Ermes questo dono, si ricordava di molte vite già vissute. Anche una come donna, una cortigiana chiamata Alco». Mi aveva messo in mano il libro, ma non mi ero reso conto che era un regalo, e così, quando feci per restituirglielo, mi disse di tenermelo, poi mi ringraziò del passaggio e mi accompagnò alla porta. Ho sempre conservato religiosamente quel libro, con la sua firma sul retro della copertina. Metà delle pagine, quelle che riguardano i seguaci minori di Pitagora, sono rimaste intonse. Ma nella prima parte del libro, c'è un brano di un'antica vita del filosofo evidenziato da un tratto di matita molto leggero sul margine. «Diceva che l'anima è immortale, poi ch'essa passa anche in esseri animati d'altra specie, poi che quello ch'è stato si ripete a intervalli regolari, e che nulla c'è che sia veramente nuovo, infine che bisogna considerare come appartenenti allo stesso genere tutti gli esseri animati».

***

«Amelia aveva una bellezza diafana che solo le cure degli ultimi anni stavano offuscando. Era fragile ma capace di grande protezione. Per molte ore in tutto il suo palazzo un giorno mancò la corrente e lei rimase al suo posto sulla poltrona. Quando per uno degli ospiti fu il momento di andare via, lei lo accompagnò fino all'ultimo scalino reggendo una candela tra le dita» (Antonella Anedda, *Cosa sono gli anni*).

FILOSOFI ANTICHI E MEDIEVALI

I PITAGORICI

a cura di
ANTONIO MADDALENA

EDITORI LATERZA BARI 1954

Di te, Finzione, mi cingo,
fatua veste...

Introducendo nel 1990 una ristampa di *Alibi*, il libro semi-di-
menticato di poesie pubblicato da Elsa Morante nel 1958, Garboli si chiedeva cosa mai fosse esattamente la finzione, per la
scrittrice. E per darsi una risposta citava una breve ed ermetica
poesia, *Alla favola*, più conosciuta delle altre di *Alibi* perché in
molti l'avevano letta in apertura di *Menzogna e sortilegio*. I versi
sono dedicati ad Anna, la protagonista del romanzo.

«Di te, Finzione, mi cingo, / fatua veste...». Ogni volta che rileg-
ge questi versi Garboli non può fare a meno di pensare al sonetto di Metastasio sui sogni e le favole – «*così unico e inarrivabile*»
– sostiene – «*tra tutti quelli scritti nella mia lingua*». Eppure,
aggiunge Garboli, il paradosso che tanto agitava Metastasio nel
1733 oggi è diventato un luogo comune, vagamente pirandellia-
no. Per la Morante, e per tutti i suoi contemporanei, per tutti
noi insomma, non c'è più conflitto tra il reale e l'immaginario. È
una vecchia dialettica totalmente rimossa. «La finzione, l'artificio, fanno parte, come la veste, del corpo: sono il corpo».

***

Il fatale, irrimediabile essiccarsi della vena, denunciato da Amelia Rosselli fin dagli anni Settanta, non le impediva di scrivere qualche poesia, in modo molto saltuario, sia in italiano che inglese. «Una qua, una là», disse a Plinio Perilli nell'ultima intervista, poche settimane prima di buttarsi dalla finestra della casa di via del Corallo. In una cartellina conservò cinque poesie (quattro in italiano e una in inglese) composte nei primi giorni di marzo del 1995. Sulla copertina scrisse uno strano titolo –

> *first inedits*
> *writings for*
> *others*

La seconda di queste poesie, scritta il primo di marzo, slitta repentinamente dalla seconda alla terza persona – dando un'impressione di teatralità, come se nei primi tre versi Amelia Rosselli si rivolgesse a qualcuno, per poi girare la testa e spiegare qualcosa a un pubblico invisibile. Ma questo qualcuno a cui si rivolge all'inizio mi sembra molto più una specie di sosia, o meglio di immagine di sé riflessa nello specchio, che un altro vero e proprio. Se questo è vero, dobbiamo immaginare qualcuno che prima parla *a* se stesso e poi *di* se stesso – producendo un notevole effetto di scissione e moltiplicazione della personalità. Schizofrenia in miniatura. Con grandissima, consumata sapienza espressiva, Amelia Rosselli distingue due toni. Rivolgendosi a se stessa, è severa come se stesse conducendo uno spietato esame di coscienza. Poi arriva qualcuno, e subentra un'ironia da badante che conosce bene i capricci infantili della persona che assiste.

> fingi il vero e poi sai che non
> v'è. Fingeresti il vero solo per
> melodramma.

E di poesia non ne vuol più sapere
naturalmente.

È così che le poesie, come malattie, si trasmettono nel tempo e
nello spazio, prendendo la forma di ogni singolo individuo che
le ospita. Ma questa forma individuale non va sopravvalutata,
è solo un'apparenza e una contingenza, una forma provvisoria
che oggi è un sonetto del celebre Metastasio, e domani indossa
gli abiti russi di Puškin, e poi quelli portoghesi di Pessoa, e poi
diventa una poesia di Elsa Morante intitolata *Alla favola*, o un
frammento di Amelia Rosselli tagliente come uno specchio in-
franto, e chissà dove andrà a finire, chissà in quante altre parole
assumerà la sua forma provvisoria fino alla fine del mondo.

Da Patten, dove stava terminando la serie dei ritratti, mi mandò una cartolina. La veduta aerea evidenziava al massimo le dimensioni minuscole di quel paesino, non molto diverso, visto così dall'alto, da un singolo essere umano sperduto nel vasto mondo.

Caro Emanuele,

viva Cimabue – e che bello quel momento che abbiamo passato insieme a Parigi. Mi è sembrato proprio, a un certo punto, che la Madonna ci stesse parlando, o fosse venuta a stare con noi. Il lavoro è quasi finito, 50 ritratti della mia «gente» – ne parleremo quando tornerò a metà ottobre. Spero che stai bene.

Mi ero completamente dimenticato di questa cartolina che ho appena tradotto, e che per anni ha aspettato tra le pagine del libro con le foto della gente di Patten. *Viva Cimabue – and how wonderful it was to pass that moment with you in Paris.* Ma così come possediamo un'infinità di cose che non credevamo nemmeno, quando le troviamo, che fossero mai esistite, così molti dei fatti decisivi della nostra vita dormono in noi sotto la coltre della dimenticanza e proprio la circostanza che per un tempo lunghissimo non ci abbiamo mai pensato li rende, una volta suscitati, straordinariamente intatti e vividi, quasi presenti allo sguardo, scintillanti di tutti i loro minimi dettagli. Non esiste nessuna differenza sostanziale tra la memoria volontaria e quella involontaria. L'unica memoria che conta è quella che risveglia le cose passate quando è arrivato il loro momento, quando possiamo comprenderle. *Viva Cimabue.* Come viva l'Italia, viva la fica. Solo Arturo poteva scrivere due parole così.

***

Ci eravamo dati appuntamento all'ora di pranzo, in un vecchio bistrot che c'è sempre stato all'incrocio tra rue Dauphine e rue Mazarine – non lontano dalla casa di Garboli a Parigi, ora che ci penso. Quando sono entrato, la voce di Arturo rimbombava in tutto il locale. Stava rimandando indietro un'omelette colpevole di contenere qualche pezzetto di prosciutto. «Moi, je ne mange pas de viande, monsieur! Je suis l'AMI des animaux!!!». Era un po' che non lo vedevo, e sempre il suo calore, al momento dell'incontro, mi toccava. Tutto quello che era inerme gli stava a cuore: gli animali, i bambini, e ciò che nei suoi amici aveva conservato la natura dell'animale, del bambino. Era dimagrito e un po' incurvato, la forza vitale ancora intatta nei suoi splendidi occhi, un foulard alla gola che non portava per vanità ma per prudenza da quando era malato. Era molto contento di un ritratto che qualche giorno prima aveva fatto a Claude Lévi-Strauss. Mi voleva portare a cena con lui, se restavo un po' di tempo a Parigi («tu devi conoscere questo uomo, lui sa *tutto* di vita umana!!!»). Dai vetri del bistrot osservava il cielo, abbastanza preoccupato. Era uno di quei giorni di fine agosto o inizio settembre in cui i venti del nord soffiano su Parigi un primo assaggio dell'autunno imminente, per poi lasciare di nuovo spazio a qualche periodo di caldo, sempre più breve. Arturo era impaziente di muoversi perché aveva un'idea precisa su cosa fare quel pomeriggio. Approfittando del giorno di apertura gratuita dei musei (che è la prima o l'ultima domenica di ogni mese), voleva andare al

Louvre. Non era per risparmiare i soldi del biglietto. In effetti, l'entrata libera elimina quasi del tutto le code, e una volta dentro il Louvre è così grande che puoi evitare facilmente le folle che cercano sempre le stesse cose e goderti in santa pace qualche sala completamente deserta. Ci siamo avviati verso la Senna sotto un cielo sempre più scuro, abbiamo attraversato il fiume sul ponte pedonale e siamo scesi all'interno della grande piramide di vetro. Ogni volta che mi fermavo davanti a un quadro, Arturo mi trascinava via impaziente. Aveva una meta. Finalmente, arrivati nella Grande Galleria, si è seduto su una delle panchine. Non era stanco: eravamo arrivati. Di fronte a noi, solenne e imperturbabile come una montagna mai calcata da piedi umani, la *Maestà* di Cimabue provocava la strana illusione che in tutto il Louvre ci fossimo solo io e Arturo, e quello che vedevamo fosse un privilegio speciale, un favore che veniva accordato una sola volta nella vita, e di cui conveniva approfittare perché non si sarebbe presentata un'altra occasione. Arturo mi ricordava la sera che l'avevo conosciuto, tanti anni prima, appena finito il film di Tarkovskij. Lo stesso perturbamento estatico, la stessa certezza di essersi ricongiunto a qualcosa che da sempre albeggiava in lui come una promessa e una consolazione. Mai nella mia vita avevo incontrato, né avrei incontrato dopo, una persona così ricettiva al potere della bellezza, così disposta a lasciarsene letteralmente *sradicare* come un alberello investito da un ciclone. C'è qualcosa di eccessivamente freddo in me, un centro di ironia e di amarezza che non mi ha mai permesso di vivere all'altitudine di Arturo, di godere in questo modo dei doni della sorte. Eppure quel giorno, nella Galleria del Louvre, alla maniera di quei pesci che percorrono gli oceani attaccandosi al ventre delle balene, vedevo la pala di Cimabue con gli occhi di Arturo, riuscivo quasi a percepire la delicatezza delle dita affusolate degli angeli che accarezzano il trono della Vergine come si fa con un animale grosso e mansueto. Così, una mattina di primavera di tanti anni prima, lui stesso aveva accarezzato il granito della fontana romana che aveva appena scoperto. Non so quanto tempo abbiamo passato lì davanti. Ma a un certo punto, stringendomi forte il braccio, Arturo ha attirato la mia attenzione su un particolare che non avevo considerato, perso com'ero nella grandiosità dell'insieme. «Guarda mano di Gesù Bambino. È lui che rivela sua madre. Capisci? È *madre* il futuro di figlio. No il contrario. Questa è la strada vera. Tutti figli ritornano a madre. Quando tu vivi, significa che tu ritorni». Di tutto quello che aveva imparato, aggiunse dopo un po', la voce roca per l'emozione, questa era la cosa più importante, l'ultima. «Remember that. Non è madre la via che porta al figlio. Sono figli che vanno verso madre, come fiumi in mare».

Preceduto da una furiosa raffica di vento, il temporale arrivò quando avevamo già riattraversato la Senna e imboccato rue des Saints-Pères. Ci siamo riparati nel piccolo androne di un negozio di anticaglie. Arturo scrutava la furia effimera degli elementi come se si fosse trattato di una minaccia personale. Continuava a sistemarsi il foulard intorno alla gola. Aveva paura di prendere freddo, qualunque inezia di raffreddore nelle sue condizioni poteva aggravarsi e trasformarsi in polmonite o anche peggio. Era questo che gli passava il convento, un giorno della sua vita fatto di cose belle e di cose brutte, in un equilibrio che è sempre fragile, opinabile. Condizioni ancora accettabili. C'era ancora, davanti a lui, un piccolo margine di tempo vivibile – nessun mortale può chiedere di più, qualunque sia il tarlo che scava al suo interno. E poi, comunque vada, è pure vero che del tempo che ci è concesso noi facciamo un solo uso: lo perdiamo, non sappiamo fare altro che perderlo, e tutto il lavoro della nostra coscienza, con i suoi ricordi e le sue falsificazioni, è una minuziosa e disperata ricerca del tempo perso, e se qualcuno ci trasmette qualcosa prima di andarsene, non siamo venuti al mondo per scioglierne gli enigmi, ma per conservarli intatti, e trasmetterli a nostra volta ancora più incomprensibili di quando li abbiamo ricevuti. È anche vero che l'umore di Arturo, nell'umido rifugio di rue des Saints-Pères, si era guastato. Finalmente un nuovo vento squarciò le nuvole che dalla mattina avevano ingrigito Parigi in un precoce e soffocante autunno, e il sole brillò nella sua gloria inondando la strada dove ancora scorrevano i ruscelletti delle grondaie. Dopo avermi abbracciato in silenzio, Arturo si allontanò a passi rapidi in direzione di boulevard Saint-Germain. Lo osservavo allontanarsi mentre fumavo una sigaretta, prima di muovermi anch'io. Tra le nuvole che fuggivano come un esercito in rotta, sopra il grattacielo di Montparnasse, era apparso un enorme arcobaleno, con tutti i colori dell'iride ben distinti tra loro come nei disegni dei bambini. La sagoma di Arturo continuava a rimpicciolirsi, chissà se aveva fatto caso all'arcobaleno, questo è il tipo di domande che si faranno agli amici quando li rivedremo nel paradiso che ci siamo meritati, vale la pena di meritarselo fosse solo per chiedere ad Arturo se anche lui, quel pomeriggio, aveva fatto caso all'arcobaleno che sovrastava il grattacielo di Montparnasse tra i brandelli di nuvole dai bordi arrossati. Tutto il tempo è perso e di tempo perso sono fatte le piume delle ali degli angeli custodi, i corpi sottili che vegliano sul sonno, i lumi che rischiarano la strada quando è troppo tardi per tornare a casa. Ho guardato Arturo finché è stato possibile distinguerlo da tutto il resto, angoli di palazzi e automobili e alberi dalle chiome scintillanti per la pioggia, e poi anche io mi sono incamminato per i fatti miei.

Appendici

1. Sulla Zona di Tarkovskij, gli stalker, e un vecchio libro di fantascienza

Preghiera per Černobyl' è un bellissimo libro di Svetlana Aleksievič, composto di testimonianze degli scampati al disastro atomico del 1986. Più di una volta questi sopravvissuti, per cercare di descrivere l'incredibile trasformazione subita da Černobyl' e dai suoi dintorni dopo l'incidente, ricordano un libro di fantascienza molto popolare nella Russia sovietica, *Picnic sul ciglio della strada*, pubblicato nel 1972 dai fratelli Arkadij e Boris Strugackij. È da questo libro geniale, sfrondato da tutto ciò che non gli interessava, che Tarkovskij ricavò, dopo innumerevoli traversie, *Stalker*. Fin dal titolo Tarkovskij privilegiò su altri elementi della storia la condizione umana e la professione dello «stalker». In sintesi, lo stalker è una specie di guida, che introduce illegalmente chi vuole seguirlo nella Zona, o nella Zona della Visita, come la chiamano i fratelli Strugackij. Il libro è più eplicito del film a questo proposito. Immaginiamo la nostra Terra come un oggetto sferico (una palla, un'arancia...) che mentre ruota sul suo asse viene colpito da una serie di pallottole sparate a un ritmo uniforme. Il corpo sferico presenterebbe una linea regolare di perforazioni equidistanti. Così, immaginano gli autori del romanzo, sarebbero disposte nel mondo le Zone della Visita. Ma chi sono i visitatori? Definirli «extraterrestri» significa solo avvalersi di una comoda *via negationis*. Qualcuno, certamente, è arrivato, da un'altro mondo o da un'altra dimensione o da entrambi, e si è insediato in uno spazio del tutto normale, anonimo, come i sobborghi della città di Marmont dove si svolge l'azione del libro. Così come sono venuti, i visitatori se ne sono andati. I testimoni non sanno dirne molto. Molti sono stati accecati, ma non da una luce troppo intensa, bensì da un rumore, naturalmente indescrivibile. Una strana «peste» ha decimato qualche condominio. E sembra che, se un abitante di un luogo prossimo alla Zona si trasferisce in un'altra città, lì inizino ad accadere disgrazie a ripetizione, di ogni tipo e senza nessun rispetto per le leggi della statistica. Nessun «visitatore» è rimasto in una Zona, a quanto pare, ma la Visita, che è sicuramente l'evento più indecifrabile e importante della storia umana, si è lasciata dietro molte tracce. La Zona, pur mantenendo il suo aspetto esteriore di un luogo qualunque di questo mondo, è uno spazio fondamentalmente non-euclideo, dotato di leggi fisiche tutte proprie, e disseminato di trappole micidiali: campi magnetici e gravitazionali perversi, gelatine che divorano gli arti, ragnatele assassine... E oltre ai fenomeni, ma non meno pericolosi, ci sono gli oggetti materiali, che gli stalker spesso contrabbandano fra la Zona e il mondo di fuori. Roba come gli «etak», che sono delle fonti di energia inesauribili, capaci di riprodursi, in determinate condizioni, come fanno gli animali. Ma gli «etak» non esistono certo per far camminare le nostre macchine. Utilizzare un oggetto della Zona è come battere dei chiodi usando un microscopio. Bellissima e potente fantasia, questa dei due fratelli Strugackij. Il maggiore, Boris, era nato nel 1925 a Leningrado, e viveva lavorando come astronomo. Il più giovane, Arkadij, era un professore di giapponese e abitava invece a Mosca. Per scrivere, si davano appuntamento in una locanda di provincia, a metà strada. Il padre era morto di stenti e di inedia durante l'assedio tedesco di Leningrado, ma era riuscito a far conoscere ai figli i libri di Wells e Verne e Conan Doyle. Quanto a Tarkovskij, *Stalker* è del 1980. In lui la Zona diventa fondamentalmente un paesaggio mistico, quello che nella tradizione sciita iraniana si definirebbe un *mondo immaginale*. Nelle sue mani lo stalker, pur rimanendo un fuorilegge, si trasformò in una figura cristologica, in una guida delle anime. Gli dava fastidio quando qualcuno gli chiedeva cosa significasse, per lui, la Zona. Perché è proprio l'assurdità, l'indicibilità, l'assenza di pensiero definiscono l'esperienza sacra che voleva raccontare. La bibliografia su Tarkosvskj è sterminata. Per una lettura filosofica di *Stalker*, si può cominciare con il breve saggio di Slavoj Žižek, *Andrej Tarkovskij. La Cosa dallo spazio profondo* (trad. di Damiano Cantone e Lorenzo Chiesa, Mimesis, Milano 2011). Appena finito di scrivere questo libro, mi è capitato in mano un libro davvero eccezionale di Geoff Dyer, pubblicato nel 2012: *Zona. Un libro su un film su un viaggio verso una stanza* (trad. di Katia Bagnoli, Il Saggiatore, Milano 2018). La «stanza» a cui si allude nel sottotitolo è la pericolosa «stanza dei desideri» del film di Tarkovskij. Avendo più o meno la stessa età di Dyer, potrei sottoscrivere moltissime delle sue riflessioni. Ne citerò solo una che mi sembra molto vicina a quanto cerco di esprimere nel primo capitolo. «Presto la gente non sarà più in grado di vedere film come *Lo sguardo di Ulisse* di Theo Angelopoulos o di leggere Henry James perché non riuscirà a concentrarsi quanto basta per passare da una scena o da una frase interminabile alla scena o frase successiva. Il momento in cui forse sarei stato in grado di leggere l'ultimo Henry James è passato, e poiché non ho letto l'ultimo Henry James a tempo debito, non sono nella posizione di dire quale danno abbia subito la mia sensibilità. Però so che se intorno ai vent'anni non avessi visto *Stalker*, la mia comprensione del mondo sarebbe stata radicalmente ridotta».

2. «Presenza reale»

Come cerco di argomentare nel mio racconto, il marchingegno della Chiesa Nuova è una specie di macchina del tempo: permette di retrocedere istantaneamente lungo i secoli della storia dell'arte e di toccare con mano una metamorfosi irreversibile. Quella dipinta nel 1609 dal giovane Rubens è una splendida immagine profana: l'argomento religioso vi è sovrapposto in maniera del tutto convenzionale, così come si può travestire una bambola tipo Barbie da tennista, o da campeggiatrice, o da reginetta di un concorso di bellezza. Se le autorità religiose della Controriforma erano così scrupolose in fatto di simboli e così attente a cosa combinavano i pittori, è proprio perché la pittura, ormai, contenta di *rappresentare* una realtà, era una pratica del tutto secolarizzata. Bisognava rivestirla di contenuti adatti. Quando l'immagine di Rubens si eclissa per fare spazio al dipinto trecentesco, incomparabilmente più scadente sul piano del valore estetico, noi possiamo vedere effettivamente una traccia concreta di un'altra concezione. Una traccia ormai debolissima, suggerita solo dal contrasto con Rubens, eppure evidente. Quello sconosciuto imbrattamuri era figlio – in maniera del tutto inconsapevole – di una civiltà che attribuiva all'immagine sacra tutt'altro valore. Per capire bene questa dimensione spirituale, non c'è che ricorrere a quel grande e insostituibile libro, scritto nel 1922 e rimasto inedito per più di mezzo secolo, che è *Le porte regali* di Pavel Florenskij. Forse ne faccio un uso improprio, ma credo che il discorso di Florenskij sull'icona russa sia valido per molti altri aspetti dell'arte medievale. A partire dalla scarsa importanza attribuita alle gerarchie di valore degli storici dell'arte. «L'icona», scrive infatti Florenskij, «può essere di somma o scarsa maestria, ma alla sua base sta la percezione *autentica* d'un'esperienza spirituale sovramondana *autentica*» (cito dalla traduzione italiana, la prima a livello mondiale, di Elémire Zolla, uscita nella «Piccola Biblioteca Adelphi» nel 1977). E ancora: «non si tratta di discutere se una donna è stata raffigurata bene o male, o se questo 'bene' o 'male' in misura significativa dipenda dall'intenzione dell'artista, bensì se effettivamente si tratti della Madre di Dio».

3. Contro la tragedia

Nessuno ha messo in ridicolo meglio di Stendhal la presunta superiorità morale ed estetica del tragico. Ancora prima di mettere mano alla *Vita di Rossini*, così quell'uomo in tutti i sensi superiore alla stupidità dei suoi tempi iniziava la prima delle *Lettere su Metastasio* (datata «Varese, 24 ottobre 1812», ma tutte le date e i luoghi di Stendhal, come si sa, sono mistificazioni): «La maggior parte degli uomini disprezza troppo facilmente la grazia. È tipico delle anime volgari stimare solo ciò che temono un poco. Vengono di qui, nel mondo, l'universalità della gloria militare, e, nel teatro, la preferenza per il genere tragico. Per questa gente è necessaria, in letteratura, l'apparenza della difficoltà vinta; ed ecco perché Metastasio gode di scarsa reputazione, se si compara la reputazione al merito». Si può iniziare un saggio puntando meglio al cuore della questione? Quello della *rivolta contro il tragico*, d'altra parte, è un tema di storia letteraria che andrebbe approfondito con ben altre capacità che le mie. Chi fosse interessato alle profondissime implicazioni filosofiche di questa vicenda che percorre tutta la storia della cultura occidentale, può leggere un saggio davvero illuminante di Giorgio Agamben, *Pulcinella ovvero Divertimento per li regazzi in quattro scene* (nottetempo, Roma 2015). Questo libro bizzarro e sorprendente, meravigliosamente illustrato, è una vera pietra miliare, e meriterebbe di essere approfondito. Più modestamente, mi limiterò a ricordare la stupenda fiaba di E.T.A.Hoffmann, *La principessa Brambilla* (1820), dove il problema del protagonista, l'attore romano Giglio Fava, consiste proprio in una falsa vocazione, che lo fa anelare a ruoli tragici per i quali non è affatto tagliato. Le *Lettere su Metastasio* sono del 1814, *La principessa Brambilla* segue di pochi anni: come si vede, siamo in piena Restaurazione. Tutti i regimi polizieschi amano impennacchiarsi di solennità, di sublime, relegando il comico al ruolo di innocuo passatempo da controllare con la necessaria solerzia. Non è un caso se il grande erede di Stendhal e Hoffmann, nel Novecento, è stato Michail Bulgakov. Solo nel 1962, vale a dire un quarto di secolo dopo la morte di Bulgakov, la censura sovietica permise una prima edizione (molto purgata) della *Vita del signor de Molière*. Nel racconto di Bulgakov ci sono delle equivalenze fin troppo facili da percepire: Luigi XIV = Stalin; Bastiglia = Lubjanka, eccetera. Degno della penna di Bulgakov è soprattutto il capitolo in cui, come in un episodio del *Maestro e Margherita*, un intero destino viene condensato in una sola notte magica. È il 24 ottobre del 1658. Siamo nella Sala delle Guardie del Louvre. Dopo i tanti anni di apprendistato e pellegrinaggio in provincia, Molière e i suoi attori hanno finalmente la loro grande occasione. In prima fila, accanto al fratello minore, c'è un solo uomo che non si è tolto il cappello: è il giovane, pallido, esigente Luigi XIV. Alle spalle dei due augusti fratelli, tutta la società che conta, dai grandi nomi dell'aristocrazia agli attori e alle attrici dell'Hôtel de Bourgogne, tempio dello stile «alto». La serata inizia con il *Nicomède* di Corneille, e bastano pochi minuti per vedere la noia impadronirsi degli spettatori. Tutto qui, quello che è in grado di fare il giovane fenomeno? Il fiasco è senza appello, la catastrofe sembra consumata irrimediabilmente quando, dopo i debolissimi applausi, Molière torna in scena per proporre a Sua Maestà e al resto del pubblico una cosetta da nulla, una farsa intitolata *Il medico innamorato*, che aveva riscosso tanto successo in provincia... Il re inizia a ridere fino alle lacrime, seguito dal resto del pubblico. E mentre i compassati e schifiltosi attori dell'Hôtel de Bourgogne si mordono le mani per l'invidia, la stella di Molière si affaccia all'orizzonte per non tramontare mai più. Bulgakov immagina che a una vera star come Montfleury, che ha assistito con «gioia malvagia» alla prima parte della serata, scappi un'esclamazione molto sintomatica: altro che dilettanti, questi sono dei «veri diavoli»!

4. Pellegrinaggi a casa di Garboli

Il miglior resoconto di un pellegrinaggio a Vado di Camaiore è quello di Silvio Perrella, pubblicato sul n. 32 di *Leggere* (giugno 1991), con un titolo, *Non si è niente senza gioia*, che deriva da una frase di Garboli: «non si è niente, *anche in letteratura*, senza gioia». L'inciso, che ho messo in corsivo, merita qualche riflessione. Chiaramente, fa subito pensare a Delfini, l'«uomo pieno di gioia». Ma può essere anche messo in relazione all'insistenza con cui, nel dicembre del 1988, recensendo sull'*Indice dei libri del mese* le *Lezioni americane*, libro di «mortificato splendore», Garboli mette in rilievo la scarsezza di «felicità» (sinonimo meno connotato di «gioia») nel carattere e nella scrittura di Italo Calvino. «Per conoscere la felicità in letteratura», decreta Garboli, e non si saprebbe davvero come dargli torto, «bisogna essere trasandati, approssimativi, involontari, casuali» (questo articolo, che contiene anche una feroce descrizione della maniera di parlare di Calvino, fu poi inserito nella sua ultima raccolta, *Pianura proibita*, uscita nel 2002). A parte il titolo, il reportage di Perrella, che come si sa è un ottimo osservatore di dettagli, è prezioso, e la sua descrizione della casa di Vado, letteralmente invasa da tavoli e tavolini di ogni specie, come in una scenografia espressionista, è efficacissima. In tema di visite a Vado, si può anche ripescare facilmente in internet un articolo molto bello di Vincenzo Pardini (*Garboli il professore che non dava del tu*, in *il Giornale*, 16 dicembre 2005).

5. Un'interpretazione del sonetto di Metastasio

Quando ho deciso di scrivere questo libro, per prima cosa ho cercato notizie attendibili su Metastasio e il suo sonetto. Così, dopo tanti anni, mi sono trovato all'ingresso della Biblioteca Nazionale, rimasta quasi identica a come la ricordavo, forse un po' più spopolata di quando ero giovane. Una delle grandi idiozie del nostro tempo consiste nell'opinione che le ricerche, ormai, si possano fare da casa. Almeno per quello che riguarda un poeta del Settecento, non è affatto così. È vero, qualcosa in internet si può trovare, soprattutto pagando, ma mai tutto quello che serve se si intende davvero approfondire un argomento. Forse è diverso per altri campi del sapere, ma non per questo lo Stato italiano dovrebbe lasciare le biblioteche nell'abbandono in cui si trovano oggi. Soprattutto, internet è carente di bibliografie, e il primo passo di ogni ricerca consiste proprio nello stilare una lista delle cose che sono (o almeno sembrano) importanti da leggere. Io non sono certo un grande campione di studi sistematici, ma proprio per questo posso dire che a volte andare oltre il consueto livello di superficie delle conoscenze è una vera felicità mentale. Tanto per dirne una, ci si imbatte in persone molto intelligenti, che venti, cinquanta, cento anni prima di noi hanno seguito gli stessi sentieri. E così, dopo qualche giorno di studio, alternato a rapidi pisolini in quell'ambiente così propizio al sonno, mi sono imbattuto in un saggio di Cesare Galimberti, veneziano, nato nel 1928, professore emerito dell'Università di Padova, autore di importanti lavori su Leopardi. Nel lontano 1969, Galimberti pubblicò un saggio sul nostro sonetto, intitolato *La finzione del Metastasio*, su *Lettere italiane*, una severa ed elegante rivista filologica, credo ancora esistente. Lo studioso parte dall'individuazione dei due termini-chiave, dei due poli magnetici della poesia di Metastasio: «sogno» e «vita», ovviamente. «Sogno» viene a indicare, nello svolgimento, «due oggetti molto diversi»: all'inizio la finzione artistica («sogni e favole», «favole e sogni»); poi la vita stessa («sogno della mia vita è il corso intero»). Ma se anche la vita è sogno come la finzione, queste due illusioni si contrappongono al Vero con la V maiuscola, «una terza dimensione, non esplicitamente definita», e pienamente sperimentabile solo dopo la morte. Dunque «vita» è il termine medio di una specie di gerarchia ascendente. Con la finzione artistica, condivide l'inconsistenza, non ce la fa ad essere qualcosa di più, come spiega Galimberti, «in rapporto con quell'altro ordine di realtà al quale non si può attribuire consistenza sulla base dell'esperienza sensibile, ma soltanto per una riflessione di tipo astratto se non puramente fideistico». Insomma, di quello che vedremo quando la morte ci risveglierà, non possiamo affermare assolutamente nulla. Però, a questo punto, «sogno» per «sogno» e «favola» per «favola», la finzione artistica rappresenta un modello di approdo al Vero molto più efficace della vita-come-sogno in cui tutti i mortali annaspano. Questo è il punto forte dell'interpretazione di Galimberti. «Al limite, i sogni e le favole finti dal poeta, in contrasto con quella menzogna assoluta che è la vita, diventano veridica rappresentazione del Vero che si svelerà pienamente al risveglio dal sonno terreno, equivalgono – quali espressioni di idee dell'ordine, dell'armonia, della perfezione – a cartesiane prove ontologiche dell'esistenza, non altrimenti dimostrabile, di quelle realtà assolute». Se ciò è credibile, diventa importantissima proprio l'abilità di Metastasio a costruire trame ricche di complicazioni. È quella che Galimberti definisce «la meravigliosa astrattezza del meccanismo» a rivestire un'evidente funzione simbolica. «La trama ha invero non soltanto un ritmo preciso ma un suo senso simbolico: l'aggrovigliarsi dei casi, l'oscurarsi delle situazioni è stilizzatissima rappresentazione del sonno e del delirio dell'esistenza; lo sciogliersi della vicenda attraverso convenzionalissime agnizioni, meccanicissimi rovesciamenti corrisponde al capovolgimento totale delle cose, che solo il definitivo destarsi da quel sonno potrà consentire». Sembra quasi di ascoltare non un professore di letteratura italiana, ma un personaggio di *Rumore bianco* di Don DeLillo!

6. *Arturo a Mount Desert*

L'evocazione di Marguerite Yourcenar mi ha fatto ricordare di un episodio di un libro di Sandra Petrignani, *La scrittrice abita qui*, dove si parla anche di Arturo. La storia è abbastanza buffa. Sandra Petrignani racconta di essere partita per l'America, nell'autunno del 1997, allo scopo di visitare Petite Plaisance, il cottage di Marguerite Yourcenar (morta dieci anni prima) sull'isola atlantica di Mount Desert. Era un periodo in cui ancora non si facevano ricerche su google prima di mettere anche solo un piede fuori casa, e la Petrignani commette una di quelle favate tipiche del mondo di ieri. Vola a Boston, e poi guida per ore fino all'isola per scoprire, una volta arrivata, che il cottage si può visitare, chissà perché, solo durante un certo periodo estivo. Dà fastidio sbagliare l'orario di un cinema, figuriamoci trovarsi a tremila chilometri da casa costretti a tornarsene indietro con le pive nel sacco. L'unica cosa che le è concessa, ancora più frustrante, è aggirarsi intorno al cottage di legno dipinto di bianco, sbirciando qualche oggetto dalle finestre. Impietosito, qualcuno del paese dà alla Petrignani il numero di telefono di una donna, che lavorava per la Yourcenar e ora dirige la casa-museo. Non è una persona cordiale, e del resto gli americani sono così, amano i regolamenti, li brandiscono di fronte all'incertezza dell'esistere. Alla fine però, si rende conto pure lei di tutto il viaggio che ha fatto quell'imprudente italiana, e le concede *cinque minuti* di visita la mattina dopo – sottolineneando che non è un piacere personale che le fa, dovendo aprire la casa per degli amici (quando una persona è antipatica, è antipatica). Meglio di niente: se la custode è americana, la Petrignani è napoletana, e cinque minuti possono diventare dieci, un quarto d'ora... Ma questa interessante battaglia tra femmine non avrà luogo perché la mattina dopo, di fronte al cottage, la Petrignani nota un uomo «biondo, alto, sottile». La sua bellezza ha un'aria familiare... ma sì, è Arturo! Amico intimo della Yourcenar, lui non aveva certo problemi a ottenere un'apertura straordinaria, per mostrare a due amiche giapponesi (chi saranno mai state?) quel benedetto cottage. Anche Jeanne (questo il nome della cerbera) diventa improvvisamente simpatica. Arturo è una guida ideale, conosce la casa e la storia di un'infinità di oggetti. Questa sua capacità di apparire all'improvviso dove meno te lo aspettavi, cambiando del tutto l'atmosfera, era una delle caratteristiche più notevoli di Arturo, e tutti i suoi amici l'hanno sperimentata almeno una volta.

Materiali

Vittorio Alfieri, *Vita* [1806], a cura di Vittore Branca, Mursia, Milano 1983.

Antonella Anedda, *Cosa sono gli anni*, Fazi, Roma 1997.

Maria Luisa Astaldi, *Metastasio*, Rizzoli, Milano 1979.

Jean-Cristophe Bailly, *L'apostrofe muta. Saggio sui ritratti del Fayum* [1997], trad. di Stefano Chiodi, Quodlibet, Macerata 1998.

Russell Banks, *Patten à Patten. Photographies d'Arturo Patten* [1997], traduit de l'américain par Christine Le Boeuf, Actes Sud, Arles 1998.

Adolfo Beniscelli, *Felicità sognate. Il teatro di Metastasio*, il melangolo, Genova 2000.

Harold Brodkey, *Questo buio feroce. Storia della mia morte* [1996], trad. di Delfina Vezzoli, Fandango, Roma 2013.

François Buot, *Hervé Guibert. Le jeune homme et la mort*, Grasset, Paris 1999.

Pedro Calderón de la Barca, *La vita è un sogno* [1635], a cura di Fausta Antonucci, Marsilio, Venezia 2009.

Rosy Candiani, *La cantante e il librettista: il sodalizio artistico del Metastasio con Marianna Benti Bulgarelli*, in AA.VV., *Il canto di Metastasio. Atti del Convegno di Studi. Venezia (14-16 dicembre 1999)*, a cura di Maria Giovanna Miggiani, Forni, Bologna 2004.

Rocco Carbone, *Quel volto sconosciuto e dolente dell'America*, in *l'Unità* 18 ottobre 1999.

Giacomo Casanova, *Storia della mia vita*, a cura di Piero Chiara e Federico Roncoroni, vol. I, Mondadori, Milano 1989.

Franco Cordelli, *Proprietà perduta* [1983], postfazione di Andrea Cortellessa, L'orma, Roma 2016.

Francesco De Sanctis, *Storia della letteratura italiana* [1870-1871], a cura di Niccolò Gallo, Einaudi, Torino 1958.

Laura Desideri, *Bibliografia di Cesare Garboli (1950-2005)*, Edizioni della Normale, Pisa 2007.

Denis Diderot, *Il nipote di Rameau* [1762], a cura di Aldo Pasquali, Rizzoli, Milano 1998.

Simonetta Fiori, *Rosetta Loy: «Di Garboli mi mancano anche le urla»*, in *la Repubblica*, 17 aprile 2015.

Giosetta Fioroni, *Dossier Vado. Ricordi figurativi della casa di Cesare Garboli*, Corraini, Mantova 1993.

Ugo Fracassa, *L'oscuro specchio. Versi postremi di Amelia Rosselli*, in AA.VV., *La furia dei venti contrari. Variazioni Amelia Rosselli con testi inediti e dispersi dell'autrice*, a cura di Andrea Cortellessa, Le Lettere, Firenze 2007.

Cesare Galimberti, *La finzione del Metastasio*, in *Lettere italiane*, XXI (1969), 2.

Cesare Garboli, *Scritti servili*, Einaudi, Torino 1989.

Cesare Garboli, *Falbalas*, Garzanti, Milano 1990.

Cesare Garboli, *Trenta poesie famigliari di Giovanni Pascoli*, Einaudi, Torino 1990.

Cesare Garboli, *Il gioco segreto. Nove immagini di Elsa Morante*, Adelphi, Milano 1995.

Cesare Garboli, *Un po' prima del piombo. Il teatro in Italia negli anni Settanta*, prefazione di Ferdinando Taviani, Sansoni, Milano 1998.

Cesare Garboli, *Pianura proibita*, Adelphi, Milano 2002.

Paolo Gervasi, *Vita contro letteratura. Cesare Garboli: un'idea della critica*, Luca Sossella, Roma 2018.

Mirko Grmek, *Aids. Storia di un'epidemia attuale* [1989], trad. di Claudio Milanesi, Laterza, Roma-Bari 1989.

Hervé Guibert, *Cytomégalovirus. Journal d'hospitalisation*, Seuil, Paris 1992.

Edith de la Héronnière, *Dal vulcano al caos. Diario siciliano* [2002], trad. di Fabrizio Ascari, L'ippocampo, Milano 2013.

James Hillman, *Sulla paranoia* [1985], in *La vana fuga dagli Dei*, trad. di Adriana Bottini, Adelphi, Milano 1991.

Vernon Lee, *Il Settecento in Italia. Accademie Musica Teatro* [1881], trad. di Margherita Farina-Cini, Ricciardi, Milano-Napoli 1932.

Rosetta Loy, *Cesare*, Einaudi, Torino 2018.

Giorgio Manganelli, *Pietro Metastasio* [1969], in *Laboriose inezie*, Garzanti, Milano 1986.

Pietro Metastasio, *Poesie*, a cura di Rosa Necchi, Aragno, Torino 2009.

Pietro Metastasio, *Melodrammi e canzonette*, a cura di Gianfranca Lavezzi, Rizzoli, Milano 2005.

Pietro Metastasio, *Teatro*, a cura di Mario Fubini, Ricciardi, Milano-Napoli 1968.

Pietro Metastasio, *Tutte le opere*, a cura di Bruno Brunelli, 5 voll., Mondadori, Milano 1943-1954.

Diego Mormorio, *Storia essenziale della fotografia*, Postcart, Roma 2017.

Jean-Luc Nancy, *Il ritratto e il suo sguardo* [2000], trad. di Raoul Kirchmayr, Cortina, Milano 2002.

Salvatore Silvano Nigro, *Pontormo*, Fabbri Editori, Milano 1994.

Arturo Patten, *Portraits/Ritratti*, avant-propos d'Hubert Nyssen, Actes Sud, Arles 1992.

Arturo Patten, *In fondo agli occhi. Ritratti siciliani*, testi di Andrea Camilleri e Diego Mormorio, con una nota di Edith de la Hérronière, edizioni di passaggio, Palermo 2005.

Elio Pecora, *Il libro degli amici*, Neri Pozza, Vicenza 2017.

Silvio Perrella, *Non si è niente senza gioia* [1991], in *Addii, fischi nel buio, cenni. La generazione dei nostri antenati*, Neri Pozza, Vicenza 2016.

Fernando Pessoa, *Autopsicografia* [1931], in *Poesie di Fernando Pessoa*, a cura di Antonio Tabucchi e Maria José de Lancastre, Adelphi, Milano 2013.

Sandra Petrignani, *La scrittrice abita qui*, Neri Pozza, Vicenza 2002.

I pitagorici, a cura di Antonio Maddalena, Laterza, Bari 1954.

Edouard Pommier, *Il ritratto. Storia e teorie dal Rinascimento all'Età dei Lumi* [1998], trad. di Michela Scolaro, Einaudi, Torino 2003.

Aleksandr Puškin, *Poemi e liriche*, a cura di Tommaso Landolfi [1960], Adelphi, Milano 2001.

Ezio Raimondi, *Il teatro allo specchio* [1967], in *I sentieri del lettore*, vol. II, *Dal Seicento all'Ottocento*, a cura di Andrea Battistini, Il Mulino, Bologna 1994.

Gian Carlo Roscioni, *Garboli fuori moda*, in *la Repubblica*, 5 maggio 1990.

Amelia Rosselli, *L'opera poetica*, a cura di Stefano Giovannuzzi, Mondadori, Milano 2002.

Amelia Rosselli, *Storia di una malattia* [1977], in *Una scrittura plurale. Saggi e interventi critici*, a cura di Francesca Caputo, Interlinea, Novara 2004.

Amelia Rosselli, *Cinque poesie del marzo 1995*, a cura di Silvia Morgani, in AA.VV., *La furia dei venti contrari. Variazioni Amelia Rosselli con testi inediti e dispersi dell'autrice*, a cura di Andrea Cortellessa, Le Lettere, Firenze 2007.

Amelia Rosselli, *È vostra la vita che ho perso. Conversazioni e interviste 1964-1995*, a cura di Monica Venturini e Silvia de March, Le Lettere, Firenze 2010.

Mario Soldati, *Lo specchio inclinato. Diario 1965-1971*, Mondaori, Milano 1975.

Reiner Stach, *Questo è Kafka? 99 reperti* [2012], trad. di Silvia Dimarco e Roberto Cazzola, Adelphi, Milano 2016.

Stendhal, *Vies de Haydn, Mozart et Métastase* [1814], texte établi et annoté par Daniel Muller, préface de Romain Rolland, Champion, Paris 1914.

Antonio Tabucchi, *Un baule pieno di gente. Scritti su Fernando Pessoa*, Feltrinelli, Milano 1990.

Emanuele Trevi, *Il mio ritorno*, in *liberal*, 2 luglio 1998.

Marco Vallora, *Riporre le insegne (ovvero il tramonto del Re Sole). L'ultimo libro di Garboli «che non sarà»*, in AA.VV., *La critica impossibile. Conversazioni con Cesare Garboli*, a cura di Silvia Lutzoni, Medusa, Milano 2014.

Indice

Finito di stampare nel mese di dicembre 2018
per conto di Adriano Salani Editore s.u.r.l.
da ⬛ Grafica Veneta S.p.A., Trebaseleghe (PD)
Printed in Italy